D1178523

ESPAÑOL
PRIMER GRADO

ESPAÑOL
PRIMER GRADO

ANA MARÍA MAQUEO

ESPAÑOL PARA EXTRANJEROS

LIMUSA
NORIEGA EDITORES

MÉXICO • España • Venezuela • Colombia

La presentación y disposición en conjunto de

ESPAÑOL 1ER GRADO
(Español para extranjeros)

son propiedad del editor. Ninguna parte de esta obra puede ser reproducida o transmitida, mediante ningún sistema o método, electrónico o mecánico (incluyendo el fotocopiado, la grabación o cualquier sistema de recuperación y almacenamiento de información), sin consentimiento por escrito del editor.

Derechos reservados:

© 1995, EDITORIAL LIMUSA, S.A. de C.V.
GRUPO NORIEGA EDITORES
Balderas 95, México, D.F.
C.P. 06040
☎ 521-21-05
📠 512-29-03

CANIEM Núm. 121

Quinta reimpresión

Hecho en México
ISBN 968-18-3383-X

Deseo expresar mi agradecimiento a los maestros

Antonio Alcalá
Sandra Barrera
Sara Bolaño
Juan Coronado
Marcela Uribe

quienes gentilmente me brindaron su ayuda en la revisión y
prueba de este material.

ANTES DE EMPEZAR

El libro que está ahora en sus manos ha sido diseñado específicamente para la enseñanza del español como segunda lengua.

El material que presentamos maneja en forma ordenada y graduada la lengua oral, tal y como se presenta en distintos contextos de comunicación en un marco social.

Siempre se ha tomado en cuenta la lengua en su forma auténtica y real para evitar así la artificialidad en las estructuras. Todos nuestros ejercicios tienen el propósito de ir graduando cuidadosamente las estructuras y contenido léxico y, al mismo tiempo, buscando la naturalidad y el uso real de la lengua.

La variante social del español que se ha seleccionado corresponde al habla culta de la ciudad de México, puesto que representa una forma bastante estándar del español de América Latina. Probablemente ésta será la forma que el estudiante norteamericano tendrá más oportunidad de oír y practicar, dadas las condiciones geográficas, sociales y culturales de los grupos humanos de Norteamérica y Latinoamérica.

Lo anterior nos ha llevado a tratar de combinar el contenido meramente lingüístico de las lecciones con un marco de situaciones reales. Situaciones que un joven norteamericano cualquiera podría vivir al entrar en contacto con la gente de México: con su vida diaria, con sus actividades sociales y culturales, con su ideología.

Se ha mencionado ya que las estructuras y el léxico de esta obra son de uso frecuente en el español de México. Las estructuras se presentan en forma gradual, empezando por aquellas de menor complejidad sintáctico-transformacional y de mayor semejanza con las estructuras del inglés. El léxico no es muy vasto; se utiliza sólo el que se considera para desarrollar un acto de comunicación en un contexto social. En principio, se da preferencia a aquellos vocablos que tienen "amigos" semánticos en el idioma inglés. En ambos casos -estructuras y vocabulario- el texto ofrece un conjunto básico que el maestro podrá enriquecer con aquellos elementos que considere convenientes, según las necesidades particulares de su curso o de sus alumnos.

En vista de estas características, las explicaciones gramaticales y las reglas específicas se han simplificado considerablemente, para permitir su mejor comprensión a este nivel.

En cuanto a la pronunciación consideramos que, del material de laboratorio que existe en las escuelas, el maestro deberá elegir aquel que cumpla mejor los requisitos de un curso de este nivel: familiarizar al alumno con los sonidos del español y darle oportunidad de que los practique.

Este primer volumen pretende desarrollar exclusivamente las habilidades de comprensión auditiva y expresión oral: reduce a un mínimo las actividades de lectura y evita por completo el trabajo de escritura. Dadas estas características el libro deberá permanecer cerrado durante la mayor parte de la clase. En el segundo volumen, sin embargo, se dará mayor énfasis a la práctica de la lectura y la escritura.

3

ESTRUCTURA GENERAL DEL LIBRO

El texto está formado por seis unidades temáticas que cumplen objeti vos gramaticales específicos. Cada una de estas unidades se compone de cinco lecciones y una adicional de repaso. Al total de 36 lecciones se añade un apéndice que contiene los verbos irregulares en los tiempos y formas presentados en el libro.

ESTRUCTURA DE CADA LECCIÓN

Cada una de las lecciones contempla uno o varios temas gramaticales, un marco de comunicación social y un vocabulario congruente con este último.

introducción

La lección se inicia con un diálogo en el que aparecen las estructuras y problemas gramaticales que se cubrirán en ella. Estas se presentan en un contexto natural, y pueden ir acompañadas de otras ya tratadas anteriormente o que no se manejan y se consideran como parte del reperto rio pasivo del estudiante. En esta parte se pretende que el alumno vea la nueva estructura en un contexto y en una situación reales; es por ello por lo que no se hace resaltar ninguna estructura en particular.

presentación

Al diálogo sigue un ejercicio oral, con los logotipos

Tiene por objeto hacer notar las estructuras que se van a tratar en la lección.

gramática y ejercicios

Los cuadros gramaticales que en forma esquemática se presentan a continuación explican el mecanismo concreto que rige cada estructura practicada en la sección anterior. Los ejercicios de práctica -de sus titución, transformación, adición, etc.- pretenden reforzar lo aprendido en cuanto a estructura y al mismo tiempo practicar el vocabulario nuevo que se presentó en el diálogo y en el ejercicio de

Cada uno de los diferentes temas gramaticales introducidos en la lección se refuerza mediante el mecanismo antes descrito, es decir: una sección de Escucha y Repite; un cuadro de explicación gramatical y práctica de patrones. Así pues, siempre que encontremos el logo correspondiente a Escucha y Repite, sabremos que se está trabajando un nuevo tema.

conversación

Al final de cada lección hay una sección de CONVERSACIÓN, en la que el maestro podrá emplear al máximo su propia creatividad. En esta sección se pretende que los estudiantes generen sus propios enunciados con base en las estructuras, vocablos y situación que han manejado. Aquí es donde se podrá comprobar la competencia que cada alumno va desarrollando. Naturalmente, las "conversaciones" que a partir de esta sección se generen serán de gran utilidad para el maestro, pues a través del análisis de los errores cometidos en esta producción -dirigida pero espontánea- podrá darse cuenta de cuáles puntos han quedado bien comprendidos y cuáles necesitará reforzar y repasar a lo largo de las lecciones que siguen.

Tanto las estructuras como el vocabulario de cada uno de los diálogos y textos se refuerzan constantemente a lo largo de las lecciones subsiguientes; con excepción de los "cognados" que por transferencia se logran captar con bastante facilidad. Se observará que la inclusión de "cognados" es muy frecuente, pues encontramos que a

través de ellos se puede enriquecer en forma fácil y psicológicamente gratificante, el vocabulario, tanto activo como pasivo del estudiante.

METODOLOGÍA

Como ya se ha dicho anteriormente este libro de texto tiene por objeto desarrollar las habilidades orales de los alumnos por lo que, por una parte, el uso del laboratorio será indispensable y, por otra, el maestro deberá procurar trabajar la mayor parte del tiempo con el libro cerrado.

Así pues, en cuanto a las técnicas de presentación, estamos ante un método fundamentalmente audio-lingual. Sin embargo, esto no quiere decir que no se haga uso de la presentación explícita de mecanismos gramaticales, ni tampoco que se proscriba absolutamente la traducción a la lengua de los alumnos, que en ocasiones podría evitar largas y tediosas repeticiones de un patrón. Tampoco vemos la utilidad de prohibir la traducción de ciertos elementos de la lengua, ya que muchas veces una traducción eficaz puede ahorrar mil explicaciones. Cada estudiante posee un sistema lingüístico que puede ayudarle en la adquisición de otro, sobre todo en los momentos extremos en los que los dos sistemas se tocan o se separan al máximo. La transferencia y la interferencia son fenómenos que siempre estarán presentes en el proceso de aprendizaje de una segunda lengua; luego, ¿por qué no utilizarlos al máximo como auxiliares de la enseñanza?

El enfoque comparatista, si no se lleva a extremos viciados, puede ser de gran utilidad para aclarar puntos gramaticales, enriquecer el léxico, destacar la colocación de elementos en un sintagma y hasta localizar las diferencias de articulación entre dos sonidos. Ya que este método ha sido preparado para estudiantes anglohablantes, será de utilidad hacer notar las simili tudes y diferencias que existen entre las dos lenguas.

introducción

Se recomienda que el diálogo que introduce cada lección se lea repetidamente en la forma natural en que ocurre un diálogo, es decir, con un hablante y un interlocutor. El maestro y algún ayudante podrán, en un principio, servir de modelos para dar una demostración de la pronunciación requerida y de los patrones de entonación que contie nen los enunciados del diálogo.

Si se desea una mayor participa ción del grupo, se puede dividir entre los diferentes personajes que toman parte en el diálogo y cada alumno leerá en voz alta uno de los personajes de la conversación.

Este es el momento para poner especial atención en que la pronunciación y la entonación sean lo más satisfactorias posibles.

presentación

La sección de

constituye principalmente un ejercicio de lectura, individual o coral, que deberá hacerse en voz alta. Aquí se enfatizará una vez más la correcta pronunciación. En este momento se puede dar atención personal a los problemas de pronunciación y entonación.

gramática

La sección de gramática es más bien una guía para el maestro. Es él quien debe decidir en cada caso, dependiendo de las necesidades del grupo, si amplía el tema con más explicaciones o si los cuadros del libro son lo suficientemente claros para lograr el objetivo de la lección. No se recomienda, desde luego, el que se pida la memorización y/o repetición de reglas gramaticales.

ejercicios

En la parte correspondiente a ejercicios de patrones, los estudiantes sólo tendrán el libro abierto para leer el ejemplo que precede a cada ejercicio. Una vez que hayan repetido el ejemplo después del maestro y comprendido el mecanismo del ejercicio, éste deberá desarrollarse con el libro cerrado.

Es importante hacer notar aquí que si los alumnos no han captado el mecanismo que se maneja en cada ejercicio, no tiene sentido llevarlo a cabo, por lo que el maestro deberá cerciorarse de que todos los estudiantes saben lo que se espera de ellos en cada ejercicio. El texto mismo va marcando las secciones en las que se debe trabajar con el libro cerrado, por medio de un logotipo.

conversación

En esta sección, como ya se ha dicho, se recoge el vocabulario y estructuras de la lección. Se pretende que, a través de la conversación, el alumno genere sus propias estructuras de una manera espontánea.

Al principio se presentan sólo sencillos diálogos que los alumnos deberán practicar con sus compañeros, cuidando la pronunciación y la entonación. A medida que el libro avanza, se incluyen en esta sección textos con sus correspondientes preguntas que deberán trabajarse siempre con el libro cerrado. Estas preguntas no son más que un pretexto para lograr que el alumno hable en forma espontánea. Del nivel del grupo y de la creatividad del maestro dependerá el que de las preguntas

originales se deriven muchas otras y se pueda llegar a lograr una verdadera conversación.

RECUERDA ATENCIÓN OBSERVA

Bajo estos títulos encontraremos pequeños cuadros a lo largo de todo el libro. No son más que llamadas de atención sobre algo que, o bien no merece la pena de ser tratado con verdadero detenimiento, o es sólo un recordatorio sobre algo visto con anterioridad.

Estos cuadros que generalmente aparecen al lado de un ejemplo, deberán verse con el libro abierto, después de haber repetido el ejemplo. Si el maestro lo considera pertinente, podría ampliarlos hasta donde fuera necesario.

vocabulario

El vocabulario nuevo se presenta siempre en las secciones de Introducción o Presentación, a excepción de los "cognados" o los derivados, que son de fácil comprensión.
No se intenta dar un vocabulario muy extenso; sólo el necesario para lograr nuestros objetivos.

LOGOTIPOS

Nos hemos valido de ciertos
logotipos que facilitarán el
manejo del texto:

Diálogo

Libro cerrado

Escucha y repite

8

LECCIÓN 1

- ¿Quién es?
- David, el muchacho americano.

- Buenos días, David.
  Mucho gusto.
- Mucho gusto, señora.

PRESENTACIONES 1.1

- Juan, te presento a David.

- Mucho gusto, Juan.

- Mucho gusto, David.

- David, te presento a Elena.

- Mucho gusto, Elena.

- ¡Hola! Bienvenido, David.

Buenos días

Buenas tardes.

Buenas noches.

Adiós.

- ¿Cómo estás?
- Bien, ¿y tú?.

- Gracias.
- De nada.

- ¿Cómo se dice "table"
  en español?
- Mesa.

Abran los libros.

Cierren los libros.

Buenos días.

Buenas tardes.   - ¿Cómo se dice "table" en español?

Buenas noches.   - Mesa.

- ¿Cómo estás?   - Abran los libros.

- Bien, ¿y tú?   - Cierren los libros.

- Gracias.
- De nada.

- ¿Quién es?

- David, el muchacho americano.

- Buenos días, David. Mucho gusto.

- Mucho gusto, señora.

- David, te presento a Elena.

- Mucho gusto, Elena.

- ¡Hola! Bienvenido, David.

- Elena, te presento a...

CONVERSACIÓN

I. DI ALGO SOBRE LA ILUSTRACIÓN.

Es una casa.

Es una silla.

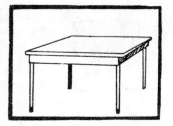

Es una mesa.

Es una ventana.

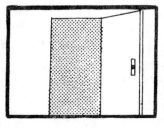

Es una puerta.

Es una pluma.

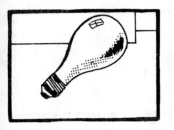

Es un foco.

Es un libro.

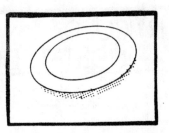

Es un plato.

Es un cuaderno.

Es un disco.

Es un vaso.

- ¿Qué es?
- Es una casa.

- ¿Qué es?
- Es un foco.

- ¿Qué es?
- Es una silla.

- ¿Qué es?
- Es un libro.

- ¿Qué es?
- Es una mesa.

- ¿Qué es?
- Es un plato.

- ¿Qué es?
- Es una ventana.

- ¿Qué es?
- Es un vaso.

- ¿Qué es?
- Es una puerta.

- ¿Qué es?
- Es un disco.

- ¿Qué es?
- Es una pluma.

- ¿Qué es?
- Es un cuaderno.

2.

ARTÍCULO INDEFINIDO

MASCULINO	FEMENINO
O	A
Es un libro.	Es una casa.

2.

UN   UNA

UN (masculino singular)
UNA (femenino singular)

Se coloca antes del sustantivo:

Un libro.
Una mesa.

Se usa cuando el sustantivo se refiere a un objeto o una persona no identificados previamente.

I. FORMA ORACIONES.

Ej. (libro)
    Es un libro.

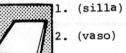

1. (silla)   6. (disco)
2. (vaso)   7. (puerta)
3. (plato)   8. (foco)
4. (pluma)   9. (cuaderno)
5. (casa)   10. (ventana)

II. COMPLETA.

Ej. Es un...
     Es un libro.

1. Es una...   6. Es una...
2. Es un...   7. Es un...
3. Es un...   8. Es una...
4. Es una...   9. Es una...
5. Es un...   10. Es un...

Ej:
¿Qué es?
Es una casa.

III. FORMA PREGUNTAS Y
      RESPUESTAS.

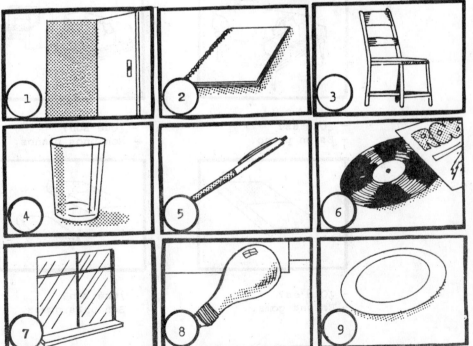

15

- ¿Qué es?
- Es una taza.

- ¿Qué son?
- Son unas tazas.

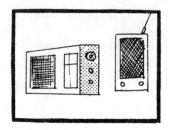

- ¿Qué es?
- Es un radio.

- ¿Qué son?
- Son unos radios.

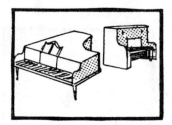

- ¿Qué es?
- Es un piano.

- ¿Qué son?
- Son unos pianos.

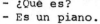

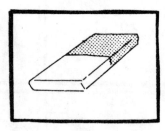
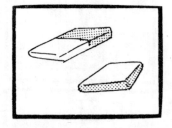

- ¿Qué es?
- Es una goma.

- ¿Qué son?
- Son unas gomas.

- ¿Qué es?
- Es un cuadro.

- ¿Qué son?
- Son unos cuadros.

- ¿Qué es?
- Es una lámpara.

- ¿Qué son?
- Son unas lámparas.

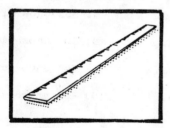

- ¿Qué es?
- Es una regla.

- ¿Qué son?
- Son unas reglas.

ARTÍCULO INDEFINIDO 2.3

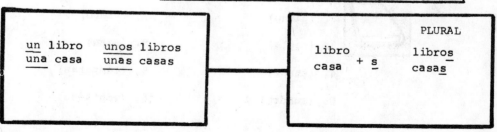

un libro	unos libros
una casa	unas casas

		PLURAL
libro	+ s	libros
casa		casas

17

IV. CAMBIA AL PLURAL.

Ej. <u>Es</u> un<u>a</u> cas<u>a</u>.
    <u>Son</u> un<u>as</u> cas<u>as</u>.

I. Es una taza.

2. Es una goma.

3. Es un piano.

4. Es un cuadro.

5. Es una regla.

6. Es una lámpara.

7. Es una pluma.

8. Es un foco.

9. Es una casa.

10. Es un cuaderno.

V. CAMBIA AL SINGULAR.

Ej. <u>Son</u> un<u>os</u> cuadern<u>os</u>.
    <u>Es</u> <u>un</u> cuadern<u>o</u>.

I. Son unas puertas.

2. Son unos libros.

3. Son unas mesas.

4. Son unas reglas.

5. Son unos vasos.

6. Son unas ventanas.

7. Son unos discos.

8. Son unos platos.

9. Son unos cuadernos.

10. Son unas sillas.

VI. FORMA ORACIONES.

Ej. (cuadernos)
    Son unos cuadernos.

(pluma)
Es una pluma.

I. (gomas)

2. (piano)

3. (regla)

4. (tazas)

5. (cuadro)

6. (discos)

7. (libro)

8. (mesa)

9. (lámparas)

10. (ventanas)

VII. FORMA PREGUNTAS
    Y RESPUESTAS.

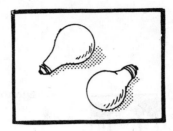

Ej:

¿Qué son?

Son unos focos.

CONVERSACIÓN

- Buenos días, ¿cómo estás?

- Bien, ¿y tú?

- Bien, gracias.

  Buenos días, ¿cómo estás?

LECCIÓN 3

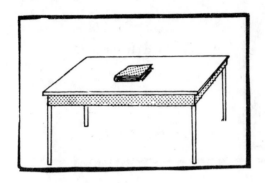

- ¿Qué es?
- Es un libro.
- ¿Dónde está?
- Está en la mesa.

- ¿Quién es?
- Es Margarita.
- ¿Dónde está?
- Está en el piso.

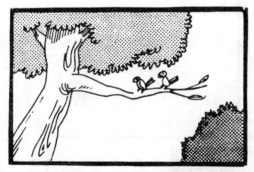

- ¿Qué son?
- Son unos pájaros.
- ¿Dónde están?
- Están en el árbol.

- ¿Quiénes son?
- Son los vecinos.
- ¿Dónde están?
- Están en la calle.

- ¿Es un calendario?
- Sí, sí es.
- ¿Dónde está?
- Está en la pared.

- ¿Es un bebé?
- Sí, sí es.
- ¿Dónde está?
- Está en el jardín.

- ¿Son unos animales?
- Sí, sí son.
- ¿Dónde están?
- Están en el zoológico.

- ¿Son unos estudiantes?
- Sí, sí son.
- ¿Dónde están?
- Están en la escuela.

- ¿Es una regla?

- Sí, sí es.

- ¿Dónde está?

- Está en la mesa.

- ¿Es un radio?

- Sí, sí es.

- ¿Dónde está?

- Está en la silla.

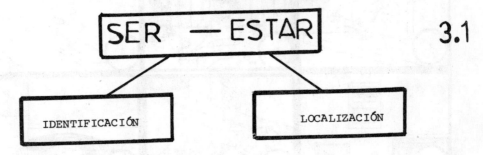

| SER — ESTAR | 3.1 |

| IDENTIFICACIÓN | LOCALIZACIÓN |

¿Qué es?

Es un pájaro.

¿Dónde está?

Está en el árbol.

I. FORMA PREGUNTAS Y RESPUESTAS.

Ej:

- ¿Son unas plumas?

- Sí, sí son.

- ¿Dónde están?

- Están en la mesa.

1. ¿Es un plato?   4. ¿Son unos pájaros?   7. ¿Es un calendario?

2. ¿Son unos vasos?   5. ¿Es un bebé?   8. ¿Son unos animales?

3. ¿Es un cuaderno?   6. ¿Son unos libros?   9. ¿Es un disco?

24

II. CONTESTA.

1.- ¿Qué es?

2.- ¿Dónde están?

3.- ¿Quiénes son?

4.- ¿Dónde está?

5.- ¿Qué son?

6.- ¿Quién es?

7.- ¿Qué es?

8.- ¿Dónde están?

9.- ¿Quiénes son?

10.- ¿Qué son?

11.- ¿Dónde está?

12.- ¿Quién es?

III. DI ALGO SOBRE LA ILUSTRACIÓN.

Ej. Es un disco.

Está en el piso.

RECUERDA:

SINGULAR	PLURAL
es-está	son-están

¿QUÉ ES?

Es la pared.   Es el bebé.

Es la calle.   Es el animal.

Es la estudiante.   Es el árbol.

Es el estudiante.

Es el jardín.

26

o	masculino

el libro

a	femenino

la silla

e	masculino
consonante	o
	femenino

el bebé
el árbol
la calle
la pared

ARTÍCULO DEFINIDO 3.3

```
EL  -  LOS
LA  -  LAS
```

Se coloca antes del sustantivo.	Se usa para limitar o determinar al sustantivo.

IV. CAMBIA COMO EN EL EJEMPLO.

Ej. Es <u>un</u> jardín.
    Es <u>el</u> jardín.

casa	pared
libro+s	jardín+es
calle	árbol

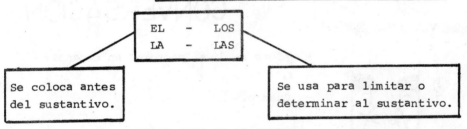

1. Son unos focos.

2. Es una puerta.

3. Son unas casas.

4. Es un vaso.

5. Son unos libros.

6. Es una pared.

7. Son unas calles.

8. Es un bebé.

9. Son unos árboles.

10. Es un cuadro.

11. Son unas lámparas.

12. Es una taza.

13. Es un animal.

14. Son unos estudiantes.

V. FORMA ORACIONES.

Ej.: (plato)

Es el plato.

1. (goma)	6. (jardín)	11. (bebé)
2. (estudiante)	7. (piso)	12. (vecino)
3. (piano)	8. (pájaro)	13. (animal)
4. (pared)	9. (árbol)	14. (regla)
5. (taza)	10. (escuela)	15. (calle)

CONVERSACIÓN

- ¿Cómo se dice "picture" en español?

- Cuadro.

- ¿Cómo se dice "wall" en español?

- Pared.

- ¿Cómo se dice...

LECCIÓN 4

- ¿Está David?
- Sí, sí está. Un momentito.
- Gracias, mamá.

- ¿David?
- Sí, soy yo. ¿Dónde estás?
- En la cafetería. Estoy con una amiga.
- ¿Cómo se llama?
- Verónica.
- ¿Cómo es?
- Es morena, alta y guapa.
- En un momentito estoy con ustedes.

Yo <u>soy</u> alto.	Yo <u>estoy</u> contenta.
Tú * <u>eres</u> rubia.	Tú <u>estás</u> triste.
Usted * <u>es</u> joven.	Usted <u>está</u> enojado.
Él <u>es</u> moreno.	Él <u>está</u> cansado.
Ella <u>es</u> simpática.	Ella <u>está</u> enferma.
Nosotros <u>somos</u> bajos.	Nosotros <u>estamos</u> ocupados.
Ustedes <u>son</u> bonitas.	Ustedes <u>están</u> aburridos.
Ellos <u>son</u> feos.	Ellos <u>están</u> borrachos.

* Hay dos formas para la 2a. persona del singular.
  <u>Tú</u> es familiar y coloquial. <u>Usted</u> es formal, oficial.

SER — ESTAR

4

| Cualidades o características permanentes. | Características o estados temporales. |

Ella es rubia.

María está cansada.

OBSERVA:

> El adjetivo tiene género y número.
>
> o - os   a - as

<u>Ella</u> es rubi<u>a</u>.

<u>Ellas</u> son rubi<u>as</u>.

<u>Él</u> es rubi<u>o</u>.

<u>Ellos</u> son rubi<u>os</u>.

I. SUSTITUYE.

Ej. Ella está contenta.
    (él) Él está contento.

A. Ustedes están tristes.
   (nosotros) (tú) (ellos)
   (él) (yo) (ella)

B. Él es joven.
   (ustedes) (yo) (ella)
   (tú) (ellos) él

C. Ellos están borrachos.
   (tú) (ustedes) (yo)
   (él) (nosotros) (usted)

·D. Ella es baja.
   (ustedes) (él) (nosotros)
   (tú) (ellos) (yo)

E. Verónica es guapa.
   (nosotros) (Elena) (tú)
   (María y Lupe) (ustedes) (ella)

<u>ATENCIÓN</u>:

> Cuando el adjetivo termina e**n**
> <u>e</u> o <u>consonante</u>, se usa para
> menino y masculino.
>
> Él
>   > está triste.
> Ella
> Ellos están tristes.
>
> Él
>   > es joven.
> Ella
> Ellos son jóvenes.

F. Juan es simpático.
   (los estudiantes) (el bebé)
   (ellas) (María) (ustedes)

~~(Yo)~~ Estoy cansado.

~~(Tú)~~ Eres joven.

Usted es rubia.

El es alto.

Ella es guapa.

(~~nosotros~~) Estamos aburridos.

Ustedes están tristes.

Ellos están borrachos.

PRONOMBRES PERSONALES 4.2

Yo, tú, usted,
él, ella, nosotros,
ustedes, ellos.

. Se usan para nombrar a
las personas.

. Están directamente re-
lacionados con el verbo.

ATENCIÓN: generalmente <u>no</u> se usa el pronombre personal con

las personas: <u>yo</u>, <u>tú</u>, <u>nosotros</u>. No se usa tampoco

en las respuestas: ¿Es ella alta?

Sí, sí es.

II. COMPLETA CON <u>SER</u> O <u>ESTAR</u>.

1. Margarita _____ cansada.

2. ¿Cómo _____ usted?

3. Ellos _____ altos y morenos.

4. (yo) _____ aburrido.

5. Juan _____ en la cafetería.

6. Los vecinos _____ en la calle.

7. ¿Qué _____? _____ un foco.

8. (nosotros) _____ enfermos.

9. ¿Dónde _____ el bebé?

RECUERDA:	
soy	estoy
eres	estás
es	está
somos	estamos
son	están

III. DI ALGO SOBRE LA ILUSTRACIÓN. USA <u>SER</u> O <u>ESTAR</u>.

32

IV.   CONTESTA.

Ej.:   ¿Es usted moreno?   Están ellos borrachos?

          Sí, soy moreno.   Sí, están borrachos.

RECUERDA:

Yo, ellos, etc.
(en las respuestas)

1. ¿Es alta la señora?

2. ¿Están ustedes tristes?

3. ¿Son morenos ellos?

4. ¿Eres alta o baja?

5. ¿Están ellos aburridos?

6. ¿Está enfermo el bebé?

7. ¿Estás cansada?

8. ¿Es simpático el vecino?

9. ¿Son rubias ellas?

10. ¿Está Elena en la cafetería?

OBSERVA:

ellos

ellas

33

V. CAMBIA AL NEGATIVO.

OBSERVA:

El es alto.

El <u>no</u> es alto.

1. Somos amigos.

2. Ellas están contentas.

3. La señora es simpática.

4. Estamos aburridos.

5. Ustedes son morenos.

6. Estás triste.

7. Ellos están borrachos.

8. Luisa es bonita.

9. El bebé está enfermo.

10. Estoy ocupado.

11. Eres joven.

12. Soy bajo.

VI.

CONVERSACIÓN

- ¿Cómo <u>te</u> llamas?

- Me llamo Juan.

- ¿Cómo <u>se</u> llama tu amiga?

- Se llama Ana.

- ¿Cómo te llamas?

- Me llamo Luisa.

- ¿Cómo se llama tu amiga?

- Se llama Lupe.

- ¿Cómo te llamas?

LECCIÓN 5

- ¿Qué hay en la sala?
- Hay sillones, una mesita, un espejo y una chimenea.

- ¿Qué hay en la cocina?
- Hay una estufa, una despensa, una mesa y unas sillas.

- ¿Qué hay en la recámara?
- Hay una cama, un buró, una cómoda y un escritorio.

- ¿Qué hay en el estudio?
- Hay una televisión, unos libreros y una alfombra.

- ¿Qué hay en el baño?
- Hay un lavamanos, una regadera y un excusado.

- ¿Qué hay en el pasillo?
- Hay una planta.

Hay una mesa y cuatro sillas en el antecomedor.

Hay una lámpara en el techo.

Hay cortinas en las ventanas.

Hay una escalera en la casa.

Hay tres macetas en el pasillo.

Hay cinco sillas en el cuarto.

Hay un florero en la mesita.

Hay dos coches en el garage.

Hay un timbre en la puerta.

Hay ocho sillas en el comedor.

HAY 5.1

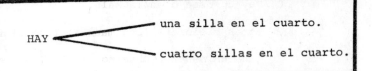

HAY ⟨ una silla en el cuarto.

cuatro sillas en el cuarto.

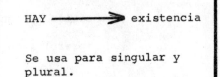

HAY ⟶ existencia

Se usa para singular y plural.

NÚMEROS 5.2

ESTUDIA:

1	uno	5	cinco	9	nueve
2	dos	6	seis	10	diez
3	tres	7	siete	11	once
4	cuatro	8	ocho	12	doce

I. SUSTITUYE.

Ej.: Hay un cuadro en la pared.

(un calendario)

Hay un calendario en la pared.

A. Hay seis sillas en el comedor.

(una mesa) (unas cortinas) (una planta)

(diez vasos) (una alfombra) (unos platos)

B. Hay dos camas en la recámara.

(una cómoda) (tres sillas) (un escritorio)

(dos burós) (un timbre) (cuatro cuadros)

C. Hay un espejo en la sala.

   (tres sillones) (una maceta) (dos floreros)

   (una chimenea) (unas cortinas) (una mesita)

D. Hay una televisión en el estudio.

   (dos sillones) (una alfombra) (seis cuadros)

   (un librero) (dos lámparas) (un escritorio)

E. Hay unos platos en la cocina.

   (una estufa) (dos sillas) (una despensa)

   (unas tazas) (una planta) (unos platos)

F. Hay un excusado en el baño.

   (una regadera) (dos espejos) (un lavamanos)

   (una cortina) (tres vasos) (una planta)

II. FORMA PREGUNTAS.

   Ej: Hay una regadera en el baño.

            ¿Qué hay en el baño?

1. Hay una televisión en el estudio.
2. Hay tres sillas en el cuarto.
3. Hay una despensa en la cocina.
4. Hay unos libros en el librero.
5. Hay un florero en la mesita.
6. Hay un timbre en la puerta.
7. Hay una lámpara en el techo.
8. Hay dos escritorios en el cuarto.
9. Hay un buró en la recámara.
10. Hay cortinas en la sala.
11. Hay un coche en el garage.
12. Hay cuatro sillas en el antecomedor.

III. CONTESTA.

1. ¿Qué hay en la sala?

2. ¿Qué hay en el baño?

3. ¿Qué hay en el estudio?

4. ¿Qué hay en el antecomedor?

5. ¿Qué hay en el garage?

6. ¿Qué hay en la recámara?

¿Qué hay en la escalera?   ¿Qué hay en el pasillo?

IV.   FORMA PREGUNTAS.

Ej: Hay <u>tres</u> sillas en la sala.

          ¿<u>Cuántas</u> sillas hay en la sala?

> OBSERVA:
>
> ¿ Cuánt<u>as</u> sill<u>as</u> hay ?
> ¿ Cuánt<u>os</u> cuadr<u>os</u> hay ?

1. Hay un cuadro en la pared.
2. Hay ocho sillas en el comedor.
3. Hay una lámpara en el techo.
4. Hay dos coches en el garage.
5. Hay una regadera en el baño.
6. Hay tres plantas en el pasillo.
7. Hay una televisión en el estudio.
8. Hay doce vasos en la cocina.
9. Hay un timbre en la recámara.
10. Hay nueve platos en el comedor.
11. Hay una chimenea en la sala.
12. Hay dos libreros en el cuarto.

V. CONTESTA.

1. ¿Cuántos floreros hay en la mesa?
2. ¿Cuántas lámparas hay en el techo?
3. ¿Cuántas cómodas hay en la recámara?
4. ¿Cuántas sillas hay en el antecomedor?
5. ¿Cuántos escritorios hay en el cuarto?
6. ¿Cuántos pájaros hay en el árbol?
7. ¿Cuántos libros hay en la chimenea?
8. ¿Cuántos espejos hay en la pared?
9. ¿Cuántos vasos hay en el piso?

VI.   CONTESTA.

1. ¿Está usted cansado?

2. ¿Qué hay en el cuarto?

3. ¿Dónde está Elena?

4. ¿Cuántos estudiantes hay?

5. ¿Es alta Margarita?

6. ¿Dónde están los libros?

7. ¿Qué hay en el techo?

8. ¿Quién está triste?

9. ¿Están ellos aburridos?

10. ¿Cómo estás?

11. ¿Son ustedes estudiantes?

12. ¿Quiénes están en el cuarto?

13. ¿Cuántas sillas hay en el comedor?

14. ¿Cómo está Lupe?

VII.   CONVERSACIÓN

- ¿Quién es?

- Juan

- ¡Hola! Bienvenido, Juan.

- ¡Hola! ¿Quién es?

- Lupe.

- ¡Hola! Bienvenida, Lupe.

- ¡Hola!

REPASO 1

I. FORMA DOS ORACIONES COMO EN EL EJEMPLO.

Hay dos bebés.

Están en el jardín.

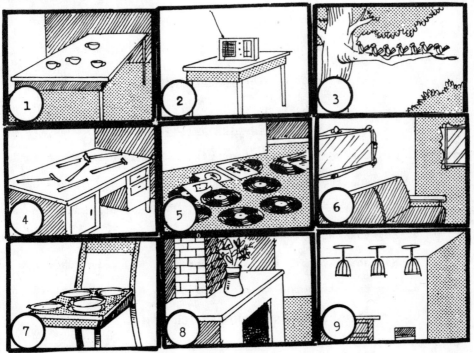

II. CAMBIA AL INTERROGATIVO.

    Ej: La señora está cansada.
               ¿Está cansada la señora?

1. Los cuadros son bonitos.
2. El estudiante es simpático.
3. La señora está contenta.
4. El árbol es alto.
5. Las cortinas son bonitas.

6. Los estudiantes están aburridos.
7. El bebé está triste.
8. David y Juan están en la cafetería
9. Los vecinos están en la calle.
10. Los animales están en el zoológico.

III. CAMBIA AL PLURAL.

Ej: El estudiante está cansado.
                 Los estudiantes están cansados.

1. La señora está aburrida.   6. Ella está cansada.

2. Él es alto.   7. El vecino es moreno.

3. El pájaro está triste.   8. La señora está contenta.

4. La casa es bonita.   9. El sillón es feo.

5. El bebé está enfermo.   10. La mesa es baja.

IV. FORMA PREGUNTAS. USA CUÁNTOS, CUÁNTAS.

Ej: Hay cuatro sillas en el comedor.
                 ¿Cuántas sillas hay en el comedor?

1. Hay dos ventanas en el cuarto.   7. Hay una estufa en la cocin

2. Hay una regadera en el baño.   8. Hay dos coches en el garag

3. Hay cuatro focos en la mesita.   9. Hay un timbre en la puerta

4. Hay dos macetas en el pasillo. 10. Hay dos camas en el cuarto

5. Hay una alfombra en la recámara. 11. Hay seis cuadernos en la m

6. Hay tres libreros en el estudio. 12. Hay una escalera en el jar

V. SUSTITUYE. USA UN PRONOMBRE PERSONAL.

Ej: Elena y Rosa están en la sala.
                 Ellas están en la sala.

1. La señora está enojada.   6. Rosa está en el antecomedo

2. Los vecinos están enfermos.   7. El bebé es simpático.

3. María y yo somos amigas.   8. Juan está en la escuela.

4. David y Juan están borrachos.   9. Los estudiantes están cans

5. Elena y usted son jóvenes.   10. David y yo estamos ocupado

44

VI. CONTESTA COMO EN EL EJEMPLO.

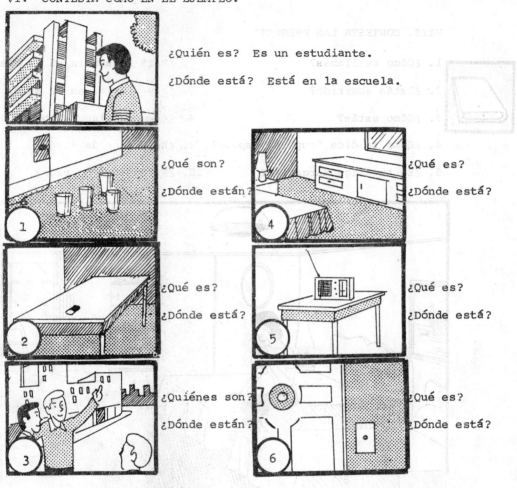

¿Quién es? Es un estudiante.

¿Dónde está? Está en la escuela.

1 ¿Qué son?

¿Dónde están?

4 ¿Qué es?

¿Dónde está?

2 ¿Qué es?

¿Dónde está?

5 ¿Qué es?

¿Dónde está?

3 ¿Quiénes son?

¿Dónde están?

6 ¿Qué es?

¿Dónde está?

VII. COMPLETA CON <u>SER</u> O <u>ESTAR</u>.

1. Los vecinos _____ rubios.

2. El piano _____ en la sala.

3. La casa no _____ bonita.

4. El bebé no _____ cansado.

5. María y yo _____ amigos.

6. La señora García _____ simpática.

7. El librero _____ en el estudio.

8. David _____ alto.

9. El calendario _____ en la pared.

10. Los libros _____ en el librero.

VIII. CONTESTA LAS PREGUNTAS.

1. ¿Cómo te llamas?
2. ¿Estás aburrido?
3. ¿Cómo estás?
4. ¿Cómo se dice "cup" en español.
5. ¿Es tu amiga Margarita?

6. ¿Está la señora en la casa?
7. ¿Hay plantas en la sala?
8. ¿Cómo se llama el bebé?
9. ¿Está cansada Rosa?
10. ¿Está usted ocupado?

IX. CONTESTA.

1. ¿Es una recámara?
2. ¿Cuántos clósets hay?
3. ¿Es bonita la recámara?
4. ¿Está ocupada Elena?
5. ¿Cuántas camas hay?
6. ¿Qué hay en el escritorio?

7. ¿Hay lámparas?
8. ¿Cuántas sillas hay?
9. ¿Es bonita Elena?
10. ¿Cuántas ventanas hay?
11. ¿Hay una televisión?
12. ¿Es bajo el techo?

LECCIÓN 6

- Los muchachos hablan español.
- ¿Hablas francés?
- Nosotros hablamos un poco
  de español.
- Ella habla inglés.
- Yo no hablo alemán.
- El señor habla inglés y francés.
- ¿Hablan ustedes italiano?

- Nosotros no estudiamos física.
- Las niñas estudian danza.
- ¿Estudia usted matemáticas?
- Yo estudio música.
- Ellas no estudian biología.
- ¿Estudias historia?
- Juan no estudia inglés.
- ¿Estudian ustedes literatura?

- Margarita toca el piano.
- Nosotros tocamos la guitarra.
- ¿Tocan ustedes el violín?
- Yo no toco la guitarra.
- ¿Quién toca la flauta?
- Ellos no tocan el violín.
- ¿Tocas el piano?

Limpio la casa.
¿Limpias las ventanas?
Juan limpia el coche.
Limpiamos los pisos.
Ellas limpian la recámara.

Compro unos cuadernos.
Compras un lápiz.
¿Compra usted los libros?
No compramos un piano.
Ellos compran unas plantas.

No tomo coca cola.
¿Tomas leche?
El bebé toma agua *.
No tomamos el camión.
¿Toman ustedes el trolebús?

Canto en francés.
Cantas canciones mexicanas.
Rosa canta en alemán
No cantamos en la escuela.
¿Cantan ellos en español?

```
Todos los verbos en español
terminan en   AR   ER   IR
```

VERBOS 6.1

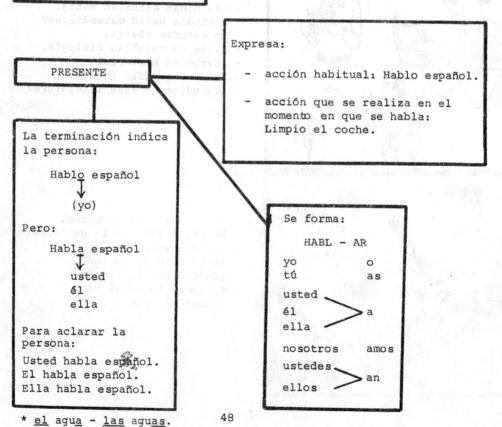

PRESENTE

Expresa:

- acción habitual: Hablo español.

- acción que se realiza en el momento en que se habla:
  Limpio el coche.

La terminación indica
la persona:

Hablo español
↓
(yo)

Pero:

Habla español
↓
usted
él
ella

Para aclarar la
persona:
Usted habla español.
El habla español.
Ella habla español.

Se forma:

HABL - AR

yo — o
tú — as
usted
él — a
ella
nosotros — amos
ustedes
ellos — an

* el agua - las aguas.

48

I. SUSTITUYE.

Ej: Ella estudia piano.
       (tú)
       Estudias piano.

RECUERDA:
No es necesario usar
yo, tú, nosotros.

A. Luisa estudia biología.
   (yo) (ustedes) (Juan)
   (ellos) (ella) (nosotros)

B. Tocamos la guitarra.
   (ellos) (tú) (usted)
   (nosotros) (yo) (Lupe)

C. El señor toma coca cola.
   (ustedes) (ella) (nosotros)
   (los muchachos) (tú) (yo)

D. Ellos compran cuadernos.
   (tú) (la niña) (ustedes)
   (usted) (ellas) (él)

E. Compramos el lápiz.
   (tú) (ustedes) (yo)
   (los niños) (Luisa) (él)

F. Ellas estudian historia.
   (tú) (ella) (nosotros)
   (el niño) (ustedes) (Juan)

G. La señora habla inglés.
   (los niños) (tú) (el señor)
   (nosotros) (yo) (ellos)

H. Usted limpia el coche.
   (ellos) (el señor) (la niña)
   (yo) (nosotros) (ustedes)

I. Ella limpia las ventanas.
   (yo) (nosotros) (Lupe)
   (tú) (la señora) (ellas)

J. Hablo alemán.
   (ustedes) (tú) (nosotros)
   (ella) (los señores) (él)

K. Tocas el violín.
   (usted) (nosotros) (ella)
   (ustedes) (Luisa) (ellos)

L. El bebé toma leche.
   (yo) (nosotros) (el niño)
   (ustedes) (tú) (Elena)

II. FORMA ORACIONES

Ej: (comprar) Margarita.
          Margarita compra una regla.

1. (tomar) Ellas.
2. (hablar) Los señores.
3. (comprar) Tú.
4. (estudiar) Ustedes.
5. (tocar) María y Rosa.

6. (limpiar) La niña.
7. (comprar) Yo.
8. (tomar) Usted.
9. (tocar) El muchacho.
10. (hablar) Nosotros.

III. DI ALGO SOBRE LA ILUSTRACIÓN.

ATENCIÓN:

Los nombres de las lenguas son masculinos.	Los nombres de las ciencias y las artes son femeninos.

El inglés	La historia	La danza
El francés	Las matemáticas	La musica
El alemán	La física	La literatura
El español	La biología	La poesía

IV. FORMA PREGUNTAS. USA QUÉ, QUIÉN, QUIENÉS, DÓNDE, CUÁNTAS, CUÁNTOS.

Ej: La niña está en el jardín.
¿Dónde está la niña?

1. Es una casa bonita.

2. La leche está en la cocina.

3. La señora es alta.

4. Los muchachos estudian francés.

5. Hay cuatro coca colas.

6. Son unos libros mexicanos.

7. Hay un trolebús en la calle.

8. María toca la quitarra.

9. Las estudiantes están aburridos.

10. Hay un piano en la sala.

11. La niña limpia la ventana.

12. Hay cuatro sillas en el cuarto.

13. El señor está enojado.

14. Los niños hablan español.

OBSERVA: Juan toca el piano. ¿Toca el piano Juan?

V. CAMBIA A LA FORMA INTERROGATIVA.

Ej: La niña estudia francés.

    ¿Estudia francés la niña?

1. Juan toma el trolebús.   7. Ellos estudian música.

2. Ellas hablan español.   8. La muchacha limpia el piso.

3. La señora está cansada.   9. Estás enferma.

4. Ustedes compran una pluma. 10. Ustedes hablan alemán.

5. Él toca la guitarra.   11. Ellos son mexicanos.

6. La niña es morena.   12. Usted compra la leche.

VI. CAMBIA A LA FORMA NEGATIVA.

Ej: La niña estudia francés.

    La niña no estudia francés.

VII.

CONVERSACIÓN

- ¿De dónde eres?

- Soy mexicano.

- ¿Hablas español?

- ¡Claro que sí!

  ¿De dónde eres?

- ¿Come usted en su casa
  o en un restaurant?
- Como en mi casa.

-¿Ve usted la televisión
  o lee el periódico?
- Leo el periódico.

- ¿Lees en inglés o en
  español?
- Leo en español.

- ¿Corre usted todos los
  días?
- Sí, corro todos los días.

- ¿Barre ella la casa

  frecuentemente?
- Sí, barre frecuentemente.

- ¿Siempre coses tus

  vestidos?
- No, no siempre. A veces

  compro mis vestidos.

Como en mi casa frecuentemente.
Comes en tu casa a veces.
El come en su casa generalmente.
Comemos en nuestra casa siempre.
Ellos comen en su casa todos los días.

Frecuentemente veo la televisión.
A veces ves la televisión.
El generalmente ve la televisión.
Siempre vemos la televisión.
Todos los días ven la televisión.

Nunca coso mis vestidos.
Casi nunca coses tus vestidos.
Ella nunca cose sus vestidos.
Casi nunca cosemos nuestros vestidos.
Ellas nunca cosen sus vestidos.

EXPRESIONES DE TIEMPO

7.1

> Se colocan antes o después
> del verbo.

Leo frecuentemente.
Frecuentemente leo.

PRESENTE

7.2

> Excepto: nunca - casi nunca
>
> Ella nunca lee.
> Ella casi nunca lee.

COM-ER		- ER
1a.	o	emos
2a.	es	en
3a.	e	en

I. SUSTITUYE

Ej: Luisa come en un restaurant a veces.
(yo)
Como en un restaurant a veces.

A. ¿Siempre coses los vestidos?
(ustedes) (ella) (usted)
(nosotros) (María) (ellas)

B. Usted lee en español todos los días.
(yo) (ustedes) (tú)
(nosotros) (ella) (ellos)

C. Ellas ven la televisión a veces.
(la niña) (tú) (ustedes)
(nosotros) (ella) (ellos)

D. Nunca corro en el comedor.
(nosotros) (él) (ustedes)
(ella) (los niños) (usted)

E. Elena casi nunca barre la casa.
(él) (nosotros) (la señora)
(usted) (yo) (ellos)

F. ¿Lees en español a veces?
   (ellas) (nosotros) (usted)
   (ustedes) (él) (ellos)

G. Generalmente leemos el periódico.
   (yo) (usted) (ellas)
   (tú) (ustedes) (Luisa)

H. Nunca comemos en la casa.
   (ella) (ustedes) (yo)
   (la señora) (tú) (ellos)

I. ¿Toma usted el camión siempre?
   (tú) (ustedes) (ellas)
   (nosotros) (ella) (los muchachos)

J. ¿Toca usted la guitarra frecuentemente?
   (ellos) (tú) (Elena)
   (nosotros) (él) (ustedes)

K. Ella casi nunca estudia en la noche.
   (yo) (ustedes) (el niño)
   (nosotros) (usted) (tú)

II. CAMBIA LA EXPRESIÓN DE TIEMPO.

Ej: Veo la televisión _frecuentemente_.
     Frecuentemente veo la televisión.

1. Las niñas hablan siempre en español.
2. Ana toca el piano todos los días.
3. Como en la casa generalmente.
4. Hablas en inglés frecuentemente.
5. Ellos barren la calle a veces.
6. El bebé toma leche todos los días.
7. El señor lee el periódico siempre.
8. Ellas cosen los vestidos a veces.
9. Estudiamos español frecuentemente.
10. El muchacho corre en el jardín generalmente.

> RECUERDA:
>
> Las expresiones
> de tiempo se
> colocan antes o
> después del
> verbo. Excepto:
> nunca, casi
> nunca.

III. CAMBIA LA EXPRESIÓN DE TIEMPO.

    Ej: Frecuentemente veo la televisión.

                Veo la televisión frecuentemente.

1. A veces limpiamos la casa.

2. Siempre hablo en español.

3. Generalmente lees el periódico.

4. Todos los días estudian francés.

5. ¿Frecuentemente comen ustedes en un restaurant?

6. Ustedes a veces limpian la cocina.

7. Todos los días vemos la televisión.

8. La señora siempre compra leche.

9. Frecuentemente ella toma coca cola.

10. Generalmente barremos la casa.

IV. CONTESTA EN FORMA NEGATIVA. USA NUNCA, CASI NUNCA.

    Ej: ¿Ve usted la televisión a veces?

            No, nunca veo la televisión.

1. ¿Barres la casa todos los días?

2. ¿Toma usted coca cola a veces?

3. ¿Ve ella la televisión frecuentemente?

4. ¿Generalmente coses los vestidos?

5. ¿Toca usted la guitarra siempre?

6. ¿Todos los días barre ella la casa?

7. ¿Corre usted en el jardín a veces?

8. ¿Frecuentemente estudias español?

9. ¿Hablas en alemán generalmente?

10. ¿Siempre lee él el periódico?

V. FORMA ORACIONES. USA <u>EXPRESIONES DE TIEMPO.</u>

1. (comer) El señor.

2. (ver) Ustedes.

3. (limpiar) (nosotros)

4. (coser) Las muchachas.

5. (hablar) (yo)

6. (leer) Los vecinos.

7. (tocar) Ella.

8. (barrer) Usted.

9. (correr) (tú)

10. (tomar) El niño.

Estudio <u>mi</u> libro.
Como en <u>mi</u> casa.
Limpio <u>mis</u> cuadros.
Veo <u>mis</u> plantas.

Tomas <u>tu</u> cuaderno.
Ves <u>tu</u> regla.
Coses <u>tus</u> vestidos.
Compras <u>tus</u> sillas.

Usted limpia <u>su</u> coche.
Ella limpia <u>su</u> cuarto.
El limpia <u>sus</u> cuadros.
Ella limpia <u>sus</u> sillones.

Vemos <u>nuestro</u> libro.
Vemos <u>nuestra</u> escuela.
Vemos <u>nuestros</u> libros.
Vemos <u>nuestras</u> guitarras.

Ellos <u>ven</u> su escritorio.
Ellas <u>ven</u> su casa.
Ustedes <u>ven</u> sus coches.
Ellos <u>ven</u> sus libros.

7.

| ADJETIVOS POSESIVOS | mi-mis
tu-tus
su-sus
nuestro-a
nuestros-as | Se colocan antes del nombre. Concuerdan con él en número, excepto la primera persona del plur que concuerda en género número.

Nuestr<u>a</u>. cas<u>a</u>. |

VI. SUSTITUYE.

   Ej: Es mi casa.
       (libro)
       Es mi libro.

A. Es mi goma.
   (lámpara) (cuaderno) (piano)
   (alfombra) (disco) (recámara)

B. Son mis radios.
   (sillas) (libreros) (plantas)
   (gomas) (canciones) (vestidos)

C. Es tu amiga.
   (niña) (niño) (bebé)
   (vecina) (plato) (taza)

D. Son tus cuadros.
   (libros) (mesas) (vestidos)
   (amigas) (niños) (sillas)

E. Es su piano.
   (guitarra) (amigo) (flauta)
   (violín) (planta) (sillón)

F. Son sus niños.
   (plumas) (platos) (tazas)
   (sillones) (plantas) (libreros)

G. Es nuestra casa.
   (silla) (mesa) (amiga)
   (recámara) (estufa) (cocina)

H. Son nuestras casas.
   (sillas) (mesas) (amigas)
   (recámaras) (estufas) (cocinas)

I. Es nuestro niño.
   (amigo) (cuarto) (libro)
   (cuaderno) (periódico) (vestido

J. Son nuestros niños.
   (amigos) (cuartos) (libros)
   (coches) (periódicos) (vestidos)

VII. FORMA ORACIONES.

Ej:
Es una casa.
(Juan)
Es su casa.

Son unas casas.
(Juan)
Son sus casas.

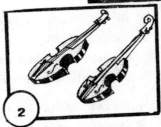

1
Es un periódico.
(el señor)

Son unas guitarras.
(María)

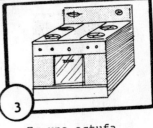

3
Es una estufa.
(ella)

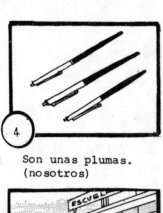

4

Son unas plumas.
(nosotros)

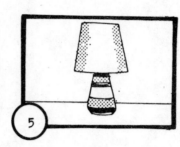

5

Es una lámpara.
(yo)

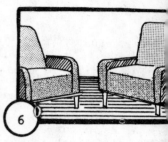

6

Son unos sillones.
(nosotros)

7

Es una escuela
(ellos)

8

Son unos niños.
(tú)

9

Es un piano.
(nosotros)

10

Son unos discos.
(usted)

11

Es una televisión.
(nosotros)

12

Son unos vasos.
(él)

CONVERSACIÓN

- ¡Hola! ¿Cómo te llamas?
- Jorge, ¿y tú?
- Manuel. ¿Hablas español?
- Sí, hablo un poco de español.

- ¡Hola! ¿Cómo te llamas?
- Antonio, ¿y tú?
- Alejandro....

LECCIÓN 8

- ¿Asisten ustedes a la escuela en México?

- No, asistimos en Cuernavaca.

- Entonces, ¿viven en Cuernavaca?

- No, vivimos en México.

- ¡Qué complicado!

- No, no es complicado. Hay 72 kilómetros (Km.) de México a Cuernavaca. Por eso vivimos en México y estudiamos en Cuernavaca.

- ¿Escribes en inglés o en español?

- Escribo en inglés pero leo en español.

- ¡Qué difícil!

- No, no es difícil. Estudio y practico mucho los dos idiomas*. Por eso leo en español y escribo en inglés.

* El idioma - los idiomas

Teresa <u>asiste</u> a la escuela en Cuernavaca.

Javier y Carlos no <u>asisten</u> a la escuela.

La señora <u>sube</u> por el elevador.
Ellos no <u>suben</u> por la escalera.

La niña <u>parte</u> su pastel.
Sus amigos no <u>parten</u> el pastel.

María Eugenia <u>recibe</u> regalos.
Yo no <u>recibo</u> regalos.

Carmen <u>espera</u> una visita.
Ellos no <u>esperan</u> visitas.

Alejandro y Luis <u>llegan</u> muy tarde.
Ellos no <u>llegan</u> muy temprano.

Antonio <u>pregunta</u> su dirección.
Los señores no <u>preguntan</u> mi teléfono.

8.1

I. SUSTITUYE

Ej: Ella parte el pastel.
(nosotros)
Partimos el pastel.

PRESENTE		
VIV-IR		IR
1a.	o	imos
2a.	es	en
3a.	e	en

A. Asisten a la escuela en México.
(nosotros) (Antonio) (los niños)
(ella) (tú) (yo)

B. Escribo en español y en inglés.
(ellos) (nosotros) (Eugenia)
(Alejandro) (ustedes) (tú)

C. Recibes regalos frecuentemente.
(ustedes) (ella) (nosotros)
(yo) (Carlos) (ellos)

D. Ellos viven en Cuernavaca.
(Lupe) (tú) (nosotros)
(los niños) (yo) (mis amigos)

E. La niña parte su pastel.
(tú) (ellos) (usted)
(nosotros) (yo) (María Elena)

F. Los señores suben por el elevad
(yo) (ustedes) (nosotros)
(tú) (usted) (ellos)

RECUERDA:

AR		ER		IR	
o	amos	o	emos	o	imos
as	an	es	en	es	en
a	an	e	en	e	en

II. FORMA ORACIONES.

1. (practicar) (yo)
2. (subir) Javier
3. (comer) Ellos
4. (recibir) (nosotros)
5. (recibir) (nosotros)
6. (ver) Usted

7. (llegar) (tú)
8. (asistir) Ustedes
9. (correr) Carlos
10. (preguntar) Las niñas
11. (escribir) (yo)
12. (leer) (nosotros)

III. CAMBIA COMO EN EL EJEMPLO.

A. Ej: El alemán es muy difícil.

¡Qué difícil es!

1. El bebé es muy rubio.
2. Antonio es muy alto.
3. Ellas son muy jóvenes.
4. La lámpara es muy fea.

5. Luis es muy simpático.
6. El libro es muy complicado.
7. Los sillones son muy bonitos.
8. Las muchachas son muy guapas.

B. Ej: La niña está muy enferma.

¡Qué enferma está!

1. Estás muy cansada.
2. Él está muy ocupado.
3. Usted está muy triste.
4. Raúl está muy borracho.

5. Ellos están muy aburridos.
6. Verónica está muy contenta.
7. Ellos están muy enojados.
8. Ellas están muy cansadas.

IV. FORMA UNA ORACIÓN.

Ej: Vivo en México. Hablo español.

Vivo en México, por eso hablo español.

1. Comemos mucho. Estamos enfermos.

2. Corres mucho. Estás cansado.

3. Estamos aburridos. Vemos la televisión.

4. Ella no toma leche. Está enferma.

5. Usted toma mucho tequila. Está borracho.

6. Estudio español. Practico mucho.

7. No recibo visitas. Estoy aburrido.

8. La niña está enferma. Estoy triste.

El vaso es de vidrio

Es corto y ancho.

La blusa es de Luisa.
Es de seda azul. Es una
blusa italiana.

La calle es larga y angosta
Es antigua y bonita.

El parque es cuadrado y grande.
Las bancas son de madera. Son
blancas.

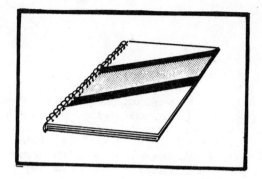

El cuaderno es rectangular.
Es de Miguel. Es amarillo y
rojo.

La bolsa café es chica. Es de
piel.
La bolsa negra es de tela.

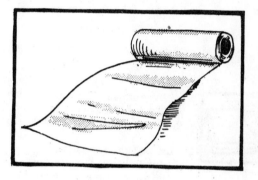

La tela es de poliéster, No es de
lana. No es de algodón.

La taza chica es de oro. La taza
es de plata.

El pasillo es ancho. Las ventanas
son redondas.

65

SER		ESTAR	
Expresa:		Expresa:	
. Nacionalidad:	El es mexicano.	. Localización:	Luis est
. Procedencia:	Es de México.		en Méxic
. Material:	La bolsa es de piel.	. Cualidades o	
. Forma:	Es cuadrada.	estados	
. Tamaño:	Es grande.	temporales:	Estamos
. Color:	Es negra.		aburrid
. Posesión:	Es de Teresa.		

V.   SUSTITUYE.

Ej: La blusa es azul.

(grande)

La blusa es grande.

A.
1. El vaso es largo.
   (chico) (blanco) (grande)
   (azul) (corto) (amarillo)

2. La bolsa es café.
   (cuadrada) (rectangular) (grande)
   (chica) (negra) (azul)

3. El cuaderno es grande.
   (verde) (rectangular) (chico)
   (cuadrado) (blanco) (ancho)

B.
1. La taza es de plata.
   (de María) (de Perú) (de vidrio)
   (de Francia) (de la niña) (de oro)

2. El vestido es de Lupe.
   (de seda) (de Italia) (de Elena)
   (de Perú) (de poliéster) (de ella)

3. La silla es de Juan.
   (de madera) (de México) (de la señora)
   (de Francia) (del niño) (de piel)

- ¿Dónde está el reloj?
- Está en el buró.

- ¿De dónde es el reloj?
- Es de Suiza.

- ¿Cómo está el niño?
- Está enojado.

- ¿Cómo es el niño?
- Es moreno.

- ¿Dónde está la pelota?
- Está en el jardín.

- ¿Cómo es la pelota?
- Es redonda, verde y grande.

- ¿De qué es la pelota?
- Es de plástico.

- ¿De quién es la pelota?
- Es de Raúl.

8.3

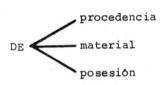

```
        procedencia
DE      material
        posesión
```

OBSERVA:

¿de dónde?	procedencia
¿de qué?	material
¿de quién?	posesión

VI. FORMA PREGUNTAS. USA ¿DE QUIÉN?, ¿DE DÓNDE?, ¿DE QUÉ?

Ej: La pelota es de Juanito.

         ¿De quién es la pelota?

1. Las niñas son de Inglaterra.

2. El vaso es de vidrio.

·3. Los libros son de Margarita.

4. El tequila es de México.

5. El radio es de la señora.

6. Las pelotas son de plástico.

7. El reloj es de Suiza.

8. La casa es de María.

9. Las plumas son de oro.

10. La tela es de algodón.

VII. FORMA PREGUNTAS. USA CÓMO.

Ej: La pelota es redonda.
¿Cómo es la pelota?

1. El parque es cuadrado.
2. Los niños son chicos.
3. La calle es angosta.
4. Las alfombras son largas.
5. El pasillo es ancho.

6. La recámara es rectangular.
7. Los relojes son redondos.
8. La cocina es chica.
9. El elevador es grande.
10. Los árboles son altos.

VIII. FORMA PREGUNTAS. USA DE QUÉ COLOR.

Ej: La blusa es azul.
¿De qué color es la blusa?

1. El teléfono es rojo.
2. Las blusas son azules.
3. Los trolebuses son amarillos.
4. La leche es blanca.
5. El libro es verde.

6. Las telas son negras.
7. Los libreros son cafés.
8. La lámpara es azul.
9. El sillón es negro.
10. Las estufas son blancas.

IX. FORMA PREGUNTAS.

Ej: El vestido de seda verde es de Margarita.

(de quién) ¿De quién es el vestido de seda verde?

(de qué color) ¿De qué color es el vestido de Margari

(cómo) ¿Cómo es el vestido de Margarita.

(de qué) ¿De qué es el vestido de Margarita.

1. La pelota roja de plástico es de Miguel.

(de qué)

(cómo)

(de quién)

(de qué color)

2. La blusa de María es de poliéster azul y blanco.

   (de quién)

   (cómo)

   (de qué)

   (de qué color)

3. El reloj de oro de Suiza es de Alejandro.

   (de dónde)

   (de qué)

   (cómo)

   (de quién)

4. El cuaderno cuadrado de Lupe es verde.

   (cómo)

   (dónde)

   (de quién)

   (qué)

5. La bolsa azul de piel es de ellas.

   (de qué)

   (de quién)

   (cómo)

   (de qué color)

6. El libro chico y amarillo es de Teresa.

   (qué)

   (de quién)

   (de qué color)

   (cómo)

VOCABULARIO

OPUESTOS

OBSERVA Y ESTUDIA:

blanco	negro	bueno	malo
alto	bajo	ancho	angosto
fácil	difícil	joven	viejo
grande	chico	nuevo	viejo
frío	caliente	contento	triste
corto	largo	feo	bonito

X. CONTESTA. USA EL OPUESTO.

Ej: ¿Es blanco el cuaderno?

No, no es blanco. Es negro

1. ¿Es ancha la calle?

2. ¿Son malos los niños?

3. ¿Es difícil el español?

4. ¿Es alta la mesa?

5. ¿Está contenta la señora?

6. ¿Es joven tu vecino?

7. ¿Está fría la leche?

8. ¿Es bonito el árbol?

9. ¿Es angosto el pasillo?

10. ¿Son nuevos tus vestidos?

11. ¿Es grande la banca?

12. ¿Es corta la canción?

XI.

CONVERSACIÓN

- ¿Dónde están los discos?

- En el estudio.

- ¿De dónde son?

- De México.

- ¿Dónde está la pluma?

- En...

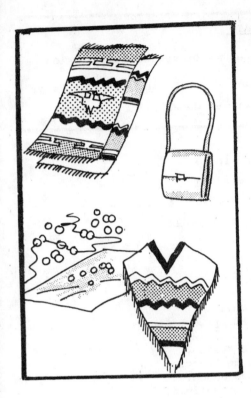

La bolsa es de México.

Es mexicana.

El poncho es de Perú.

Es peruano.

Las perlas son de Venezuela.

Son venezolanas.

Los sarapes son de Colombia.

Son colombianos.

SER 9.1

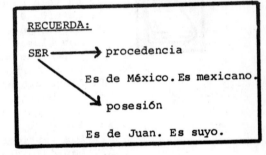

RECUERDA:

SER ——→ procedencia

Es de México. Es mexicano.

posesión

Es de Juan. Es suyo.

La tela es de Europa.
Es europea.

Mi amiga es de Francia.
Es francesa.

El radio es de Japón.
Es japonés.

La chamarra es de Argentina.
Es argentina.

Los discos son de Bolivia.
Son bolivianos.

Las pinturas son de Inglaterra.
Son inglesas.

Mis vecinos son de Estados Unidos.
Son americanos.

Los vinos son de España.
Son españoles.

OBSERVA:

de ⟶ procedencia o posesión

El libro es de Chile.   Es chileno.

El libro es de ella.   Es suyo.

ATENCIÓN:

El ni<u>ño</u> es american<u>o</u>.

<u>La</u> niñ<u>a</u> es american<u>a</u>.

<u>Los</u> niñ<u>os</u> son american<u>os</u>.

<u>Las</u> niñ<u>as</u> son american<u>as</u>.

I. CAMBIA COMO EN EL EJEMPLO.

   Ej: El poncho es de Perú.
          Es peruano.

1. El vino es de Chile.
2. La tela es de Europa.
3. La niña es de Colombia.
4. El sarape es de México.
5. Las blusas son de Francia.
6. Los niños son de Japón.
7. La guitarra es de Bolivia.
8. Alejandro es de Argentina.
9. Las bolsas son de España.
10. La pintura es de Estados Unidos.
11. Las perlas son de Venezuela.
12. Los vestidos son de Inglaterra.
13. Las chamarras son de Colombia.
14. Los espejos son de Francia.
15. El reloj es de Suiza.
16. Los floreros son de Inglaterra.

La blusa es de Rosa.
Es suya.

Los ponchos son del maestro.
Son suyos.

El sarape es de la señora.
Es suyo.

Es mi vestido.
Es mío.

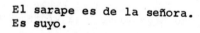

de + el = del

PRONOMBRES POSESIVOS 9.2

mío, mía, míos, mías
tuyo, tuya, tuyos, tuyas
suyo, suya, suyos, suyas
nuestro, nuestra, nuestros,
nuestras.

Se refieren a la
persona gramatical
y expresan perte-
nencia o posesión

¿Es tuyo el libro?
Sí, es mío.

OBSERVA:

La bolsa es mía.

El radio es mío.

Las plumas son mías.

Los ponchos son míos.

II. SUSTITUYE

Ej: La planta es mía.
      (los relojes)
      Los relojes son míos.

A. Los periódicos son suyos.
    (la bolsa) (los vinos) (la chamarra)
    (los ponchos) (el vino) (las telas)

B. El reloj es mío.
    (la pelota) (los sarapes) (las perlas)
    (el poncho) (los regalos) (la guitarra)

C. La flauta es nuestra.
    (los violines) (el teléfono) (las chamarras)
    (el pastel) (la bolsa) (los vinos)

D. El coche es tuyo.
    (las gomas) (el disco) (los cuadros)
    (la recámara) (las reglas) (el cuadro)

E. Los espejos son suyos.
    (el florero) (las sillas) (la mesita)
    (los platos) (la taza) (las lámparas)

III. CONTESTA.

Ej: ¿Es tuya la bolsa?
     Sí, es mía.

1. ¿Son nuestros los libros?
2. ¿Es suya la pluma?
3. ¿Es tuyo el regalo?
4. ¿Es suyo el pastel?
5. ¿Son míos los lápices?
6. ¿Son tuyas las telas?

7. ¿Es nuestro el cuaderno?
8. ¿Son mías las reglas?
9. ¿Es suya la chamarra?
10. ¿Son tuyos los vinos?
11. ¿Es suyo el reloj?
12. ¿Son nuestras las gomas?

IV. CAMBIA COMO EN EL EJEMPLO.

Ej: La blusa es de ella.
        Es suya.

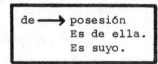

de ⟶ posesión
     Es de ella.
     Es suyo.

1. La pintura es de nosotros.

2. El vestido es de Lupe.

3. Los regalos son de los niños.

4. El pastel es de Antonio.

5. Los discos son de nosotros.

6. El tequila es de ellos.

7. La bolsa es de nosotros.

8. El coche es de mis vecinos

9. El reloj es de nosotros.

10. Las blusas son de ellas.

11. El vino es de Javier.

12. Las telas son de Carmen.

13. La chamarra es de nosotro

14. Las perlas son de la seño

EL ADJETIVO

9.3

. Modifica al sustantivo.

. Se coloca después del sustantivo.

. Concuerda con el sustantivo en género y número.

OBSERVA:

La casa amarilla.

Las casas amarillas.

El disco americano.

Los discos americanos.

V. SUSTITUYE.

Ej: La casa roja.
        (cuadernos)
        Los cuadernos rojos.

A. Los sarapes nuevos.

   (poncho) (muchachas) (bolsa)

   (telas) (regalo) (canción)

B. La blusa chica.

   (camión) (guitarras) (sarape)

   (niños) (pastel) (alfombra)

C. Las cortinas largas.

   (pluma) (calles) (sarapes)

   (regla) (pintura) (pasillos)

D. La maceta grande.

   (coches) (perlas) (vestidos)

   (sala) (cómodas) (árboles)

E. El jardín rectangular.

   (cuadernos) (libro) (radio)

   (cuartos) (alfombra) (mesitas)

RECUERDA: María Eugenia estudia español.

         ¿Estudia español María Eugenia?
         María Eugenia no estudia español.

75

VI. CAMBIA A LA FORMA NEGATIVA.

Ej: Ella limpia la casa.
          Ella no limpia la casa.

1. Mis amigos viven en Francia.
2. Tomo el trolebús todos los días.
3. Margarita cose frecuentemente.
4. Carlos recibe un regalo.
5. Mi amigo toca la flauta.
6. Barremos la casa frecuentemente.
7. Escribes en inglés y en español.
8. Él lee el periódico siempre.
9. Ellas preguntan tu teléfono nuevo.
10. Usted asiste a la escuela todos los días.

VII. CAMBIA A LA FORMA INTERROGATIVA.

Ej: Ella no limpia la casa.
          ¿No limpia la casa ella?

1. Los niños no llegan temprano.
2. Ustedes nunca hablan en español.
3. Casi nunca come en el restaurant.
4. Ella nunca sube por la escalera.
5. Ellos no estudian alemán.
6. El muchacho no corre todos los días.
7. Casi nunca tocamos la guitarra.
8. Luisa no toma tequila.
9. Ellos no ven la televisión.
10. Ustedes no practican español.

Hay una pelota en el jardín. No hay unos discos en la mesa.

¿Hay una pelota en el jardín? ¿No hay unos discos en la mesa?

No hay una señora en la sala. Hay unos periódicos en la silla

¿No hay una señora en la sala? ¿Hay unos periódicos en la sill

Hay una blusa en la cómoda.   Hay unos camiones en la calle.

¿Hay una blusa en la cómoda? ¿Hay unos camiones en la calle?

```
OBSERVA:

          Hay leche.

          ¿Hay leche?

                Hay unos libros.

                ¿Hay unos libros?

          Sólo cambia la entonación.
```

9.4 MÁS NÚMEROS

12 doce	21 veintiuno	30 treinta
13 trece	22 veintidós	31 treinta y uno
14 catorce	23 veintitrés	32 treinta y dos
15 quince	24 veinticuatro	33 treinta y tres
16 dieciséis	25 veinticinco	40 cuarenta
17 diecisiete	26 veintiséis	41 cuarenta y uno
18 dieciocho	27 veintisiete	50 cincuenta
19 diecinueve	28 veintiocho	51 cincuenta y uno
20 veinte	29 veintinueve	60 sesenta

70 setenta   80 ochenta   90 noventa   100 cien

ATENCIÓN:

   24   veinticuatro

   34   treinta y cuatro

Del 21 al 29 se escriben con

una sola palabra.

          UNO - UN

Hay un libro.

Hay uno.

Antes del sustantivo:

              UN

OBSERVA:

    Hay treinta y dos niños.

    Hay treinta y un niñas.

VIII.

- ¿Cuántos años tiene María?

- Veintiocho.

- ¿Cuántos años tiene el señor?

- Cincuenta y seis.

- ¿Cuántos años tiene el niño?

- Ocho.

CONVERSACIÓN

- ¿Cuántos años tienes?

- Dieciocho.

- ¿Cuántos años tienes?

78

LECCIÓN 10

- ¿Quién vive en esta casa?

- Los Martínez.*

- ¿Quién vive en esa casa?

- Los García.*

- ¿Quién vive en aquella casa?

- Los Rodríguez.*

Este libro es de Raúl.
Aquél es de María.

Estos cigarros son de Lola.
Esos son míos.

Esta camioneta es de Jorge.
Esa es de Felipe.

Estas botellas son de Pepe.
Aquéllas son de Ernesto.

* El señor García.
Los García.

79

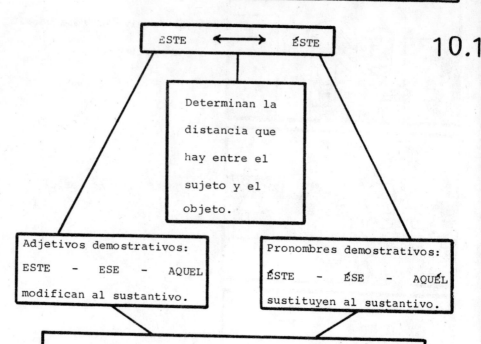

ESTE ⟷ ÉSTE

Determinan la distancia que hay entre el sujeto y el objeto.

Adjetivos demostrativos:
ESTE - ESE - AQUEL
modifican al sustantivo.

Pronombres demostrativos:
ÉSTE - ÉSE - AQUÉL
sustituyen al sustantivo.

Los sustantivos y los pronombres demostrativos concuerdan con el sustantivo en género y número.

OBSERVA:

Ella necesita este libro.   Necesita éste.

Luis vive en esta casa.   Vive en ésta.

Usted fuma estos cigarros.   Fuma éstos.

El abre estas ventanas.   Abre éstas.

ese - esos   aquel - aquellos
esa - esas   aquella - aquellas

La única diferencia ortográfica entre adjetivos y pronombres demostrativos es el acento escrito.

I. CAMBIA COMO EN EL EJEMPLO.

ATENCIÓN:

GÉNERO

NÚMERO

Ej: Esa silla es mía.
        (libros)
        Esos libros son míos.

A. Estas bolsas son italianas.
   (cuadros) (niña) (blusas)
   (cigarros) (tela) (lámparas)   *jacket*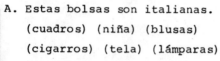

B. ¿Necesitas aquellos libros?
   (plumas) (escritorio) (goma)
   (sillas) (teléfono) (dirección)

C. Ese maestro es bueno.
   (niños) (señora) (muchachas)
   (maestra) (señor) (estudiantes)

D. Aquellos floreros son míos.
   (taza) (escritorio) (plumas)
   (recámara) (focos) (maceta)

E. ¿Compra usted esos libros?
   (poncho) (cuadernos) (vino)
   (chamarras) (cuadro) (cortina)

F. Esta banca es grande.
   (restaurant) (camiones) (bolsa)
   (guitarras) (jardín) (trolebús)

G. Veo aquellos árboles.
   (jardín) (casas) (coche)
   (camiones) (camionetas) (pintura)

H. Estos relojes son malos.
   (telas) (coche) (pinturas)
   (radios) (niñas) (disco)

II. CAMBIA COMO EN EL EJEMPLO.

Ej: Leo este libro.
        Leo éste.

1. Necesitamos este escritorio.
2. Viven en aquella casa.
3. Veo esa maceta.
4. Compran esta blusa.
5. Lees ese periódico.
6. Compro estos cuadernos.
7. Abro esas ventanas.
8. Compro ese lápiz.
9. Lavamos aquel coche.
10. Vemos esta dirección.
11. Tocas esta flauta.
12. Limpian aquellas sillas.
13. Veo aquel radio.
14. Cosen estas blusas.

III. FORMA ORACIONES.

Ej: Esta casa es mía.

      Ésa es de María.

1. Aquel coche es de Luisa. 6. Ese florero es suyo.

2. Esos vestidos son míos. 7. Estos focos son nuestros.

3. Esta casa es tuya.   8. Esa chamarra es suya.

4. Aquella pluma es nuestra. 9. Estas telas son suyas.

5. Aquellos niños son tuyos. 10. Aquellas blusas son nuestras.

IV. CONTESTA EN FORMA NEGATIVA. AGREGA

  NUEVA INFORMACIÓN.

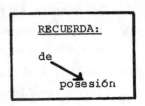

RECUERDA:

de

posesión

Ej: ¿Es tuya esta pluma?

     No, no es mía. Es de María.

1. ¿Es de Juan esta lámpara?

2. ¿Son de Margarita aquellos cuadernos? .

3. ¿Es de usted esta flauta?

4. ¿Es de María ese vestido?

5. ¿Son tuyas esas tazas?

6. ¿Es de las niñas esta guitarra?

7. ¿Son nuestros aquellos relojes?

8. ¿Es de ustedes esa botella?

9. ¿Es de Ana aquella blusa?

10. ¿Son de ellos estos cigarros?

V. CAMBIA AL PLURAL.

Ej: Aquel niño es americano.
                   Aquellos niños son americanos.

1. Esta camioneta es grande.   9. Ese teléfono está ocupado.

2. Aquel violín es mío.   10. Esta guitarra es mexicana.

3. Esa niña está enferma.   11. Aquel niño está cansado.

4. Este sillón es verde.   12. Esa señora es joven.

5. Aquel señor está enojado.   13. Aquella muchacha está aburrida.

6. Ese muchacho es rubio.   14. Este coche es amarillo.

7. Aquella botella es chica.   15. Esa maestra es buena.

8. Esta banca es bonita.   16. Aquella señora está triste.

VI. CAMBIA.

Ej: La casa de nosotros.
               Nuestra casa.

RECUERDA:

nuestro   nuestros
nuestra   nuestras

1. El libro de Felipe.   *pearls*
                                  9. Las perlas de nosotros.

2. Las bolsas de Elena.   10. El radio de María Eugenia.

3. Las sillas de nosotros.   11. El idioma de nosotros.

4. La pluma de Verónica.   12. Los cuadros de Luisa.

5. El libro de nosotros   13. El cigarro de nosotros.

6. Los discos de ustedes.   14. La estufa de Margarita.

7. La regla de nosotros.   15. Las chamarras de nosotros.

8. El cuaderno de Ernesto.   16. El plato de usted.

VII. CAMBIA COMO EN EL EJEMPLO.

Ej: Hay un animal en el cuarto.
    El animal está en el cuarto.

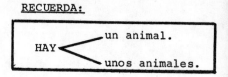

HAY ⟨ un animal.
      unos animales.

1. Hay un pájaro en el árbol.
2. Hay unos espejos en la pared.
3. Hay una lámpara en el comedor.
4. Hay un lavamanos en el baño.
5. Hay unos libreros en la sala.
6. Hay una estufa en la cocina.
7. Hay unas tazas en la mesa.
8. Hay un calendario en la silla.
9. Hay una regadera en el baño.
10. Hay unas plantas en el estudio.
11. Hay un excusado en el baño.
12. Hay unos niños en la calle.
13. Hay una mesita en el pasillo.
14. Hay unas macetas en el jardín.

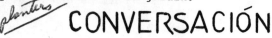

CONVERSACIÓN

VIII. CONTESTA.

1. ¿Quiénes están en el cuarto?

2. ¿Lee un libro el señor?

3. ¿Cuántas lámparas hay?

4. ¿Está enojada la señora?

5. ¿Hay un piano en el cuarto?

6. ¿Es bonita la muchacha?

7. ¿Cómo es el escritorio?

8. ¿De quién es el periódico?

9. ¿Hay animales en el cuarto?

10. ¿Está triste el señor?

11. ¿Hay niños?

12. ¿Es grande la lámpara?

84

UNIDAD 2

I. SUSTITUYE.

Ej: Compramos el lápiz.
       (ustedes)
       Compran el lápiz.

A. Estudiamos música todos los días.

    (Elena) (ellos) (yo)

    (ustedes) (tú) (el muchacho)

B. Javier siempre come en un restaurant.

    (nosotros) (mis amigos) (Teresa)

    (tú) (los muchachos) (usted)

C. Casi nunca fumo.

    (tú) (Alejandro) (nosotros)

    (ustedes) (Ernesto) (Carmen)

D. Generalmente hablan en inglés.

    (el maestro) (ellos) (yo)

    (nosotros) (los estudiantes) (tú)

E. Nunca llegamos tarde.

    (ellos) (mis amigos) (tú)

    (usted) (yo) (Raúl)

F. Corren en el jardín frecuentemente.

    (yo) (nosotros) (las niñas)

    (usted) (tú) (ellos)

II. DI ALGO SOBRE LA ILUSTRACIÓN.

Ej: La muchacha toca el piano.

III. FORMA PREGUNTAS. USA QUÉ, QUIÉN, QUIÉNES, CÓMO, CUÁNTOS, CUÁNTAS.

Ej: Las niñas están contentas.

¿Cómo están las niñas?

1. Hay tres elevadores.

7. Hay cinco maestras en la escuela.

2. Cantamos una canción peruana.

8. El niño estudia piano.

3. El señor espera en la sala.

9. Los muchachos viven en México.

4. El cuaderno es rectangular.

10. Hay siete botellas en la mesa.

5. Hay un reloj en la casa.

11. El agua está fría.

6. Mi coche es amarillo.

12. Elena fuma cigarros mexicanos.

IV. CAMBIA LA EXPRESIÓN DE TIEMPO.

A.   Ej: A veces veo la televisión.

Veo la televisión a veces.

1. Siempre compro cigarros.

6. Generalmente llegas temprano.

2. Tú siempre partes el pastel.

7. A veces practico guitarra.

3. A veces necesito la pluma.

8. Frecuentemente preguntan tu teléfono.

4. Siempre asisten a la escuela.

9. Ana generalmente habla inglés.

5. A veces tomamos vino chileno.

10. Juan casi siempre lee en español.

B.   Ej: Toman leche frecuentemente.

Frecuentemente toman leche.

1. Compramos discos a veces.

6. Luis limpia su coche siempre.

2. Toman camiones generalmente.

7. Estudian español todos los días.

3. Toco el piano frecuentemente.

8. Barremos la calle generalmente.

4. Hablamos español siempre.

9. Abro las ventanas todos los días.

5. Preguntas la dirección a veces.

10. Reciben regalos frecuentemente.

V.   FORMA PREGUNTAS. USA <u>DE QUÉ</u>, <u>DE DÓNDE</u>, <u>DE QUIÉN</u>.

     Ej: Las blusas son <u>de Verónica</u>.
                 <u>¿De quién</u> son las blusas?

1. El vestido es <u>de seda</u>.   7. La ventana es <u>de madera</u>.

2. El vaso es <u>de vidrio</u>.   8. Los maestros son <u>de Argentina</u>.

3. El reloj es <u>de Felipe</u>.   9. El poncho es <u>de Perú</u>.

4. La tela es <u>de Francia</u>.   10. Las cortinas son <u>de poliéster</u>.

5. Los niños son <u>de Japón</u>.   11. La botella es <u>de plata</u>.

6. El vino es <u>de Chile</u>.   12. Las chamarras son <u>de piel</u>.

VI.   CONTESTA. USA <u>EL OPUESTO</u>.

     Ej: ¿Es vieja tu amiga?
              No, no es vieja. Es joven.

1. ¿Está caliente la leche?   7. ¿Está enojado el maestro?

2. ¿Es difícil el español?   8. ¿Son blancas las plumas?

3. ¿Es ancha la mesa?   9. ¿Llegas tarde a la escuela?

4. ¿Está muy triste la niña?   10. ¿Son fáciles las matemáticas?

5. ¿Son grandes los niños?   11. ¿Está fría el agua?

6. ¿Es feo el bebé?   12. ¿Es buena la guitarra?

VII.   CAMBIA COMO EN EL EJEMPLO.

     Ej: El sarape es de Colombia.   El radio es de Raúl.
              Es colombiano.   Es suyo.

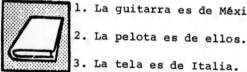

1. La guitarra es de México.   7. Los vinos son de Francia.

2. La pelota es de ellos.   8. El regalo es de ella.

3. La tela es de Italia.   9. El muchacho es de Estados Unidos.

4. Los ponchos son de Ernesto.   10. El niño es de ellos.

5. La canción es de Perú.   11. La música es de Bolivia.

6. La chamarra es de nosotros.   12. El reloj es de nosotros.

VIII.   LEE.

1. Hay 29 estudiantes.   6. Hay 91 perlas.

2. Hay 31 chamarras.   7. Hay 84 sarapes.

3. Hay 72 niños.   8. Hay 36 bolsas.

4. Hay 11 ponchos.   9. Hay 55 camionetas.

5. Hay 23 pinturas.   10. Hay 18 vestidos.

IX.   CAMBIA COMO EN EL EJEMPLO.
         Ej: Ella es la maestra de nosotros.
                    Es nuestra maestra.

1. Esta es la canción de ellos.   6. Estos son los cigarros de él.

2. Ese no es el trolebús de usted.   7. Ese no es el violín de nosotros.

3. Estos son los pasteles de nosotros. 8. Esos son los relojes de usted.

4. Esa es la dirección de ustedes.   9. Esa es la pelota de ellos.

5. Esas no son las telas de nosotros. 10. Esta es la flauta de nosotros.

X.   CONTESTA LAS PREGUNTAS.

1. ¿Cómo está usted?   6. ¿Llegan temprano a la escuela?

2. ¿De dónde eres?   7. ¿Recibes regalos frecuentemente?

3. ¿Habla usted español?   8. ¿Estudia usted danza?

4. ¿Practica español todos los días? 9. ¿Coses tus vestidos?

5. ¿Tocas la guitarra?   10. ¿Quién limpia la casa?

XI.   CONTESTA.

1. ¿Qué toman los muchachos?

2. ¿Están frías las cocas?

3. ¿Cómo está David?

4. ¿Está la señora?

5. ¿Quiénes están?

6. ¿Está cansada Elena?

7. ¿En dónde están?

8. ¿Hay guitarras?

9. ¿Quién toca la guitarra?

10. ¿Toca usted la guitarra?

11. ¿Toca el piano?

12. ¿Estudia usted música?

- ¿Quién tiene los boletos?
- Yo tengo seis boletos. ¿Cuántos somos?
- Siete. Necesitamos otro boleto.
- Bueno. Mientras Ricardo compra el boleto,
  Martha y yo compramos palomitas.
- ¿Quién quiere palomitas?
- Yo.
- Yo no. Prefiero un chocolate.
- ¿A qué hora es la función.
- A las cinco.
- ¿A qué hora salimos.
- A las ocho. ¿Tienes prisa? *"to be in a hurry"*
- Sí, hoy en la noche voy a casa de Jorge.
- ¿No es mañana la reunión?
- No, es hoy.

- ¿<u>Cierran</u> mañana las tiendas?

- No, <u>cierran</u> el domingo.

- ¿<u>Vienen</u> tus amigas mañana?

- No, <u>vienen</u> la semana próxima.

- ¿<u>Quieres</u> café o coca cola?

- <u>Prefiero</u> palomitas.

- ¿A qué hora <u>sales</u> de la escuela?

- <u>Salgo</u> a las dos.

- ¿Quién <u>da</u> la clase de historia?

- El doctor Fernández de Velasco.

- ¿<u>Hace</u> usted ejercicio?

- Sí, <u>hago</u> ejercicio en las mañanas,

- ¿Quién <u>va</u> a la playa el mes próximo?

- Mis amigas <u>van</u> pero yo no.

- ¿<u>Sabe</u> usted la dirección de Miguel?

- No, pero <u>sé</u> su teléfono.

VERBOS IRREGULARES 11.1

TENER		QUERER		HACER	
tengo	tenemos *	quiero	queremos *	hago	hacemos *
tienes	tienen	quieres	quieren	haces	hacen
tiene		quiere		hace	

CERRAR		VENIR		IR	
cierro	cerramos *	vengo	venimos *	voy	vamos
cierras	cierran	vienes	vienen	vas	van
cierra		viene		va	

DAR		SALIR		PREFERIR	
doy	damos *	salgo	salimos *	prefiero	preferimos
das	dan	sales	salen	prefieres	prefieren
da		sale		prefiere	

SABER	
sé	sabemos *
sabes	saben
sabe	

En español hay muchos verbos
irregulares; esto es, verbos
diferentes de los regulares.
Todos los verbos irregulares
que aparecen en el libro
están en el APÉNDICE. p. 285

* La primera persona del plural
generalmente es regular.

María Eugenia viene el año próximo.

Compramos los libros mañana.

Voy a Puebla pasado mañana.

La semana próxima doy una conferencia.

Mañana tenemos clase de español.

Hoy en la noche hacen una reunión aquí.

OBSERVA:

PRESENTE=FUTURO

Voy a la escuela todos los días. (PRESENTE)

Voy a la escuela la semana próxima. (FUTURO)

11

> El presente se usa también
> para expresar acción futura.
> Generalmente va acompañado
> de una expresión de tiempo.

RECUERDA:

> Las expresiones de tiempo se
> colocan antes o después del verbo.

I. SUSTITUYE.

Ej: Ricardo tiene una botella.
        (yo)
        Tengo una botella.

A. ¿Haces los ejercicios en las noches?
   (Miguel) (ellos) (usted)
   (ustedes) (Martha) (las niñas)

B. Ella no tiene prisa.
   (nosotros) (usted) (yo)
   (ustedes) (tú) (María Eugenia)

C. No quiero palomitas, prefiero un chocolate.
   (ella) (nosotros) (tú)
   (usted) (los niños) (Raúl)

D. Cerramos el libro frecuentemente.
   (ustedes) (yo) (el maestro)
   (los muchachos) (tú) (usted)

E. Mi amiga viene mañana.
   (ellas) (yo) (ustedes)
   (nosotros) (tú) (el doctor)

F. Los niños van al zoológico el domingo.
   (yo) (ustedes) (tú)
   (la muchacha) (nosotros) (Ricardo)

   | a + el = al |

G. La señora Rodríguez da clases de español.
   (usted) (nosotros) (yo)
   (Margarita) (tú) (ellos)

H. Salimos hoy en la noche.
   (los muchachos) (tú) (ellas)
   (yo) (María y Jorge) (ustedes)

I. María prefiere café caliente.
   (tú) (nosotros) (la señora)
   (ellos) (yo) (ustedes)

II. CAMBIA AL NEGATIVO.

   Ej: Yo quiero una coca cola fría.
           Yo no quiero una coca cola fría.

1. Ana tiene una blusa nueva.   7. Ustedes cierran la puerta.

2. Venimos aquí a veces.   8. Voy a la cafetería.

3. Ellas prefieren pastel.   9. Vienes mañana.

4. Lupe sale en la mañana.   10. El da clases de inglés.

5. Estoy muy cansado.   11. Salgo a las ocho.

6. Ellos hacen sus ejercicios.   12. Cierran los domingos.

III. CAMBIA AL INTERROGATIVO.

Ej: Elena prefiere el libro azul.

        ¿Prefiere Elena el libro azul?

1. Felipe tiene prisa.
2. Ellos quieren agua.
3. Vas a la escuela.
4. Verónica estudia piano.
5. Miguel quiere su guitarra.
6. Ese señor da clases.
7. Ustedes cierran la puerta.
8. La maestra lee en francés.
9. Ellas hacen un pastel.
10. La niña abre la ventana.
11. Ellos prefieren coca cola.
12. Ustedes tienen los libros.

IV. FORMA ORACIONES.

Ej: Ella estudia. Juan ve la televisión.

        Ella estudia mientras Juan ve la televisión.

1. Luisa espera. El doctor escribe.
2. Cosemos una blusa. La muchacha barre. *sew*
3. Él lee el periódico. Ella fuma.
4. Los niños estudian. Yo voy a la calle.
5. Lupe cierra las ventanas. Eugenia limpia.
6. Asistimos a clase. Ellos practican piano.
7. Recibo una visita. Ana habla por teléfono.
8. Raúl compra los libros. Yo leo el periódico.
9. Ella hace un pastel. Luis toca la flauta.
10. Ustedes estudian español. Yo coso un vestido.
11. Los niños limpian el coche. Ella barre.
12. Él da la conferencia. Ellos escriben.

V. CONTESTA COMO EN EL EJEMPLO.

Ej: ¿Quién quiere chocolate?

        Elena quiere pero yo no.

1. ¿Quién tiene prisa? *EARLY*
2. ¿Quiénes salen temprano?
3. ¿Quién hace el pastel?
4. ¿Quiénes vienen frecuentemente?
5. ¿Quién está enfermo?
6. ¿Quién prefiere coca cola?
7. ¿Quiénes cierran los libros?
8. ¿Quién quiere palomitas?
9. ¿Quiénes estudian alemán?
10. ¿Quién practica violín?

VI.   CONTESTA COMO EN EL EJEMPLO.

ATENCIÓN:

Otro libro
Otra casa
Otros libros
Otras casas

Quiero el otro.
Quiero otro.

Ej: ¿Tienes este disco?
       No, no tengo éste. Tengo otro.

1. ¿Quieres este chocolate?

2. ¿Lees esos libros? THAT (far away, muy lejos)

3. ¿Cose usted aquel vestido?

4. ¿Viven ustedes en esa casa?

5. ¿Habla usted ese idioma?

6. ¿Lavan ellos esos coches?   WASH

7. ¿Prefieres este cuaderno?   writing pad

8. ¿Asiste usted a esa clase?

9. ¿Haces ese ejercicio?

10. ¿Compran en aquella tienda?   STORE

11. ¿Sube usted por este elevador?   SUBIR

12. ¿Tienes estos libros?

VII. FORMA ORACIONES.

1. (querer) Ricardo   7. (venir) (tú)

2. (preferir) (nosotros)   8. (dar) Ellos

3. (cerrar) Ernesto   9. (leer) (nosotros)

4. (hacer) (yo)   10. (salir) (yo)

5. (estar) Ustedes   11. (preguntar) Ustedes

6. (tener) (yo)   12. (ir) (yo)

IX.

CONVERSACIÓN

- ¿A qué hora es la clase de francés?

- A las doce.

  ¿A qué hora es la clase de biología?

- A las ...

- ¿Qué hora es?

- Son las doce.

- Vámonos. Es tarde y tengo mucha prisa.

- ¿Por qué?

  Porque mi maestra de arte llega y cierra la puerta.

  ¿Es interesante tu clase?

- Sí, es muy interesante. La doctora Moreno
  sabe mucho y es una persona agradable.

- ¿Hay muchos alumnos?

- No, hay pocos porque es una materia del programa
  bilingüe. Nunca hay muchos alumnos en estas clases.

99

Es importante **asistir** a la clase.

Es necesario **practicar** español.

Es fácil **leer** estos diálogos.

Es conveniente **llevar** abrigo.

Es útil **aprender** otra lengua.

Es posible **llegar** a tiempo.

12.1

OBSERVA:

SER + ADJ. + INFINITIVO

ESTUDIA:

útil	inútil
necesario	innecesario
conveniente	inconveniente
posible	imposible
agradable	desagradable

PERO:

Es interesante estudiar historia.
No es interesante estudiar historia.

Es importante hacer los ejercicios.
No es importante hacer los ejercicios.

I. FORMA ORACIONES COMO EN EL EJEMPLO.

Ej: Estudio español.
       (es interesante)
       Es interesante estudiar español.

A. Ellos van a la conferencia. B. El señor González estudia francés.
   (es importante) (es bueno)   (es agradable) (es conveniente)
   (es útil) (es necesario)   (es importante) (es útil)

C. Ella habla dos lenguas.   D. La señora tiene un abrigo.Cont
   (es conveniente) (es útil)   (es necesario) (es importante)
   (es necesario) (es posible)   (es conveniente) (es útil)

E. Ernesto hace ejercicio.   F. Practicamos español.
   (es útil) (es importante)   (es interesante) (es necesario)
   (es agradable) (es fácil)   (es importante) (es agradable)

II. FORMA DOS ORACIONES SI ES POSIBLE.

Ej: Es fácil hacer una blusa.
       No es fácil hacer una blusa.
       Es difícil hacer una blusa.

> RECUERDA:
>
> Es importante.
> No es importante.
>
> Es interesante.
> No es interesante.

 1. Es necesario limpiar la casa.
 2. Es fácil escribir en español.
 3. Es posible ir a la reunión.
 4. Es útil abrir las ventanas.
 5. Es importante asistir a clase.
 6. Es posible practicar el piano.
 7. Es agradable comer en un restaurant.
 8. Es importante comprar los boletos.
 9. Es conveniente llegar a las nueve.
10. Es necesario asistir a la conferencia.
11. Es útil aprender esos verbos.
12. Es interesante hablar otra lengua.
13. Es agradable tocar la guitarra.
14. Es conveniente subir por el elevador.
15. Es interesante ver la televisión.
16. Es fácil partir el pastel.

Tengo much**a** pri**sa**.
Antonio tiene po**cas** cla**ses**.
Hay po**cos** alumn**os**.
El niño quiere much**os** chocolat**es**.
Ella sabe much**as** lengu**as**.
Hay po**ca** lech**e**.
Llegan much**as** perso**nas**.

12.2

MUCHO			
POCO	— CANTIDAD —	Se colocan antes del sustantivo.

III. CONTESTA. USA <u>POCO</u> O <u>MUCHO</u>.

Ej: ¿Cuánt**os** vas**os** hay en la mesa?
Hay much**os**.

1. ¿Cuántas niñas hay en la escuela?
2. ¿Cuántos cigarros fumas?
3. ¿Cuánta agua * hay?
4. ¿Cuántos libros quieres?
5. ¿Cuántos escritorios hay en la clase?
6. ¿Cuánta leche hay en el vaso?
7. ¿Cuántos pasteles haces?
8. ¿Cuántos abrigos tienes?
9. ¿Cuántas maestras tienes?
10. ¿Cuántas amigas tienes?

El clim**a** de México es muy variable.
El idiom**a** oficial es el español.
El problem**a** no es tan complicado.
El tem**a** de la clase es importante.
El telegram**a** está en la mesa.
El poem**a** es muy bonito.

12.3

Algunos sustantivos terminados en -ma son masculinos.

El program**a** bilingüe.
Los sistem**as** interesantes.

PERO:

irregular

* el agua - las aguas
poca agua - mucha agua.

El d**ía** bonit**o**.
El map**a** chic**o**.

Los d**ías** bonit**os**.
Los map**as** chic**os**.

all languages are masculine

102

IV.   CAMBIA AL PLURAL.

   Ej: Escribe <u>un</u> telegrama.

              Escribe <u>unos</u> telegramas.

wall

1. Hay un mapa en la pared.
2. Es una canción peruana.
3. El tema es interesante.
4. Es un día agradable.
5. Hay un camión en la calle.
6. El clima es muy variable.
7. Es una materia importante.
8. Escribe un poema bonito.
9. Quieren un coche antiguo.
10. Tiene un problema.
11. El pastel está en la mesa.
12. Ese sistema es aburrido.

V.   USA <u>EL</u>, <u>LA</u>, <u>LOS</u>, <u>LAS</u>, SEGÚN CORRESPONDA.

1. ___EL___ día es agradable.

2. Voy a Cuernavaca ___LA___ semana próxima.

3. ___LOS___ mapas están en la cómoda.

4. Ellos prefieren ___LOS___ chocolates.

5. ___EL___ idioma oficial es ___EL___ inglés.

6. ___LA___ biología es una materia interesante.

7. ___LAS___ clases son en la mañana.

8. ___LA___ física es muy importante.

9. ¿Necesitas ___LOS___ programas hoy?

10. Es agradable ___EL___ clima de Cuernavaca.

103

¿QUÉ HORA ES?*

Son las tres.   Son las ocho   Son las nueve.

PERO:

<u>Es</u> la una.

¿QUÉ HORA ES?

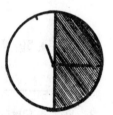

Son las once y cinco.   Son las once y diez.   Son las once y cuarto.
Las once y cinco.   Las once y diez.   Las once y cuarto.

Son las once y veinte.   Son las once y veinticinco.
Las once y veinte.   Las once y veinticinco.

┌─────────────────────────┐
│ * ¿QUÉ HORA SON?   │
│   Se usa también.   │
└─────────────────────────┘

Son las once y media.
Las once y media.

¿QUÉ HORA ES?

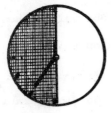

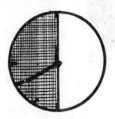

Son veinticinco <u>para</u> las doce.
Veinticinco <u>para</u> las doce.

Son veinte <u>para</u> las doce.
Veinte <u>para</u> las doce.

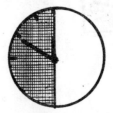

Es cuarto <u>para</u> las doce.
Cuarto <u>para</u> las doce.

Son diez <u>para</u> las doce.
Diez <u>para</u> las doce.

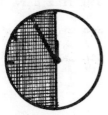

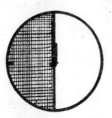

Son cinco <u>para</u> las doce.
Cinco <u>para</u> las doce.

Son las doce en punto.
Las doce en punto.

para

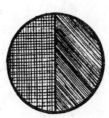

y

105

Son las cuatro.

Son las cuatro y cinco.   Son veinticinco para las cinco

Son las cuatro y diez.   Son veinte para las cinco.

Son las cuatro y cuarto.   Es cuarto para las cinco.

Son las cuatro y veinte.   Son diez para las cinco.

Son las cuatro y veinticinco. Son cinco para las cinco.

Son las cuatro y media.   Son las cinco.

Es la una.

Es la una y cinco.   Son veinticinco para las dos.

Es la una y diez.   Son veinte para las dos.

Es la una y cuarto.   Es cuarto para las dos.

Es la una y veinte.   Son diez para las dos.

Es la una y veinticinco.   Son cinco para las dos.

Es la una y media.   Son las dos.

VI. CONTESTA.

¿QUÉ HORA ES?

1. (2:15)   9. (4:10)
2. (12:10)   10. (3:45)
3. (4:40)   11. (10:35)
4. (1:20)   12. (1:05)
5. (8:50)   13. (5:30)
6. (8:45)   14. (7:25)
7. (11:40)   15. (9:45)
8. (1:30)   16. (6:15)

VII. CONTESTA. USA <u>ES TARDE</u> O <u>ES TEMPRANO</u>

¿QUÉ HORA ES?   Ej: (5:00 p.m.)

                                    Es tarde. Son las cinco.

1. (7:00 a.m.)   7. (4:00 a.m.)

2. (11:00 p.m.)   8. (9:00 p.m.)

3. (3:00 p.m.)   9. (5:00 a.m.)

4. (12:00 a.m.)   10. (7:00 p.m.)

5. (8:00 p.m.)   11. (11:00 a.m.)

6. (9:00 a.m.)   12. (10:00 p.m.)

12.5

RECUERDA:

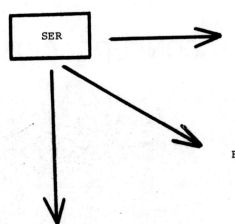

Ser + adj. + inf.

Es importante asistir.

Expresiones de tiempo.

Es temprano.

La hora

¿Qué hora es?

Es cuarto para la una.

Son las ocho.

VIII. COMPLETA CON SER.

1. _____ imposible llegar temprano.

2. ¿Qué hora _____? _____ las cuatro.

3. ¿_____ tarde? No, _____ temprano.

4. ¿Quiénes _____? Unos maestros.

5. ¡_____ las doce! _____ tarde y tengo prisa.

6. ¿_____ buena esa clase? Sí, muy buena.

7. Mi clase de español _____ a las diez de la mañana.

8. ¿A qué hora _____ las conferencias?

9. _____ difícil leer poemas en español.

10. _____ las cuatro; _____ muy temprano.

IX.

CONVERSACIÓN

- ¿Qué hora es?

- Son las nueve y cuarto.

- Vámonos es tarde y tengo mucha prisa.

- ¿Qué hora es?

- Son....

- ¿Quién tiene las llaves?

- Las tiene Miguel. ¿Las necesitas?

- Naturalmente.

- Pero Miguel no está.

- ¡Cómo! ¿De veras?

- Bueno, yo tengo otras llaves.

  ¿Las quieres?

- Mira, Carlos...

- ¡Hombre! No tienes sentido

  del humor.

- ¡Claro que no! No lo tengo.

- ¿Quién trae a Rosa a la escuela?

- La trae su papá.

- ¿Cómo sabes?

- Porque son mis vecinos y los

  veo todos los días.

- ¿Ves a Rosa todos los días?

- Sí, la veo.

- ¡Qué suerte tienes! Es una

  muchacha guapa, guapa.

Elena dice <u>la verdad.</u>

<u>La</u> dice.

Jorge trae* <u>los paquetes.</u>

<u>Los</u> trae.

Necesitamos <u>un papel.</u>

<u>Lo</u> necesitamos.

Los muchachos hacen* <u>la tarea.</u>

<u>La</u> hacen.

Pilar borra <u>el pizarrón.</u>

<u>Lo</u> borra.

El señor arregla <u>el radio.</u>

<u>Lo</u> arregla.

Tengo <u>un lápiz.</u>

<u>Lo</u> tengo.

Los niños aprenden <u>los diálog</u>

<u>Los</u> aprenden.

Oímos* <u>el ruido.</u>

<u>Lo</u> oímos.

Escriben <u>unas oraciones.</u>

<u>Las</u> escriben.

* Verbo irregular.
  Ver apéndice. p.285

110

OBJETO DIRECTO

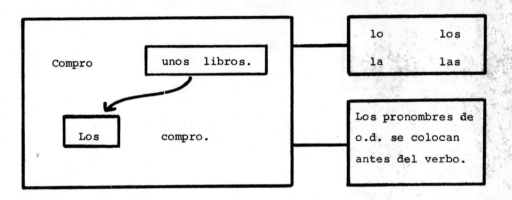

lo	los
la	las

Los pronombres de o.d. se colocan antes del verbo.

Compro unos libros.

Los compro.

I. SUSTITUYE.

A. Ej: Compro el libro.

Lo compro.

1. Digo el poema.
2. ¿Quieres el abrigo?
3. Hacemos el ejercicio.
4. Limpian el coche.
5. Barren el cuarto.
6. Cosemos el vestido.
7. ¿Cierran el libro?
8. Oigo el ruido.
9. Leo el periódico.
10. Aprendes el diálogo.
11. Borramos el pizarrón.
12. Llevas el boleto.

B. Ej: Canto una canción.

La canto.

1. Queremos la guitarra.
2. Prefiero una coca cola.
3. Ven la televisión.
4. Toco la flauta.
5. Sé la lección.
6. Abro la ventana.
7. Dan la conferencia.
8. Preguntamos la dirección.
9. Hacemos la tarea.
10. Oyen la música.
11. ¿Decimos la verdad?
12. Tengo una camioneta.

C. Ej: Necesito <u>los cuadernos.</u>
          <u>Los</u> necesito.

1. Aprenden los verbos.
2. ¿Cerramos los libros?
3. Veo los coches.
4. Compras unos sarapes.
5. Oyes los ruidos.
6. Preferimos los chocolates.
7. ¿Estudias los temas nuevos?
8. Quieren unos ponchos.
9. ¿Sabes los diálogos.
10. Traemos unos paquetes.
11. Necesitan los boletos.
12. Tengo estos libros.

D. Ej: Sé <u>las oraciones.</u>
          <u>Las</u> sé.

1. Abrimos las ventanas.
2. Prefiero esas tazas.
3. Ella barre las recámaras.
4. Cierras las puertas.
5. ¿Traes las llaves?
6. Limpiamos las mesas.
7. ¿Lleva usted esas materias?
8. Practican las oraciones.
9. Queremos unas perlas.
10. Necesitamos las direcciones.
11. Oímos las conferencias.
12. Arreglas las sillas.

II. CONTESTA. USA <u>PRONOMBRES DE OBJETO DIRECTO</u>.

A. Ej: ¿Tienes la pelota?
          <u>Sí</u>, la tengo.

1. ¿Quiere usted su abrigo?
2. ¿Cierran ustedes los libros?
3. ¿Prefieres café?
4. ¿Compra usted esa blusa?
5. ¿Barres tu recámara?
6. ¿Da Luis una conferencia?
7. ¿Tienes sentido del humor?
8. ¿Abre ella la puerta?
9. ¿Hablas ese idioma?
10. ¿Quieres la llave?
11. ¿Hacen ustedes los ejercicios?
12. ¿Come usted chocolates?

B.　Ej:　　¿Compras el libro?

No, no lo compro.

1. ¿Estudia usted francés?
2. ¿Quieres esta tela?
3. ¿Practica usted los ejercicios?
4. ¿Necesitan ustedes un programa?
5. ¿Prefieres esta clase?
6. ¿Lleva usted abrigo?
7. ¿Compran ustedes ese sarape?
8. ¿Barre la casa todos los días?
9. ¿Hablan ustedes japonés?
10. ¿Cosen ustedes sus vestidos?
11. ¿Trae usted la llave?
12. ¿Tienes suerte?

III.　SUSTITUYE. USA LO, LA, LOS, LAS.

Ej:　　Leo unos diálogos.
　　　　Los leo.

1. Oímos el ruido.
2. Queremos palomitas.
3. Necesito un periódico.
4. Dices la verdad.
5. Dan unas conferencias.
6. Cerramos los libros.
7. Hace las tareas.
8. Sé la verdad.
9. Aprendemos los diálogos.
10. Arreglan su camioneta.
11. Prefiero una coca cola.
12. Limpio el cuarto.

Vemos a Rosa todos los días.
La vemos.

Oigo a Manuel.
Lo oigo.

Necesitan a los muchachos.
Los necesitan.

La señora trae a sus niñas.
Las trae.

113

EL OBJETO DIRECTO

Puede ser una persona o una cosa:

Veo a María.
Compro un libro.

La preposición a se coloca antes del o.d. cuando es una persona:

Veo a Margarita.
Traen a los niños.

Se usan los mismos pronombres de o.d. para personas o cosas:

Veo la casa. La veo.

Veo a la niña. La veo.

RECUERDA:

a + o.d. persona

IV. CAMBIA COMO EN EL EJEMPLO.

Ej: Esperamos a Jorge.

(María)

Esperamos a María.

A. Ven a los muchachos.

(Luisa) (los señores) (Manuel)

(la maestra) (las niñas) (Martha)

B. Llevan a los niños.

(sus amigos) (Margarita) (los señores)

(la niña) (Carlos) (las muchachas)

C. Necesitas a Juan.

   (el niño) (el doctor) (Teresa)

   (mis amigas) (los niños) (el muchacho)

RECUERDA:

a + el = al

D. Oigo a los niños.

   (la muchacha) (Jorge) (mis amigos)

   (el niño) (Carlos) (el bebé)

E. Traemos a nuestros amigos.

   (los muchachos) (la señora) (el niño)

   (Luis) (los niños) (el doctor)

V.   SUSTITUYE.

   Ej: Oigo a <u>los niños</u>.
         <u>Los</u> oigo.

RECUERDA:

María y Juan

ellos

1. Necesito al niño.
2. Ven a las muchachas.
3. ¿Quieres a Luisa?
4. Oímos a María.
5. Esperan a Carlos.
6. Recibo al doctor.
7. ¿Necesitas a los estudiantes?
8. Traigo a las niñas.
9. ¿Oyes a la maestra?
10. Veo al señor.
11. Traemos a los niños.
12. Reciben a Margarita.

VI. FORMA DOS ORACIONES.

Ej:

La niña quiere la pelota.

La quiere.

VII.

CONVERSACIÓN

- ¿Quién tiene el libro?

- Lo tengo yo. ¿Lo necesitas?
  ¿Quién tiene las plumas?

- Las tengo yo. ¿Las necesitas?
  ¿Quién tiene ...?

- ¿Me llevas en tu bici?

- Claro. Con mucho gusto.

  ¿Adónde vas?

- A la tienda.

- ¿Qué vas a comprar?

- Un montón de cosas.

- ¿Cómo vas a regresar?

- A pie.

- ¿Con los paquetes?

- Pues, sí, ni modo.

- Vámonos. Voy a esperar en

  la puerta de la tienda y

  regresamos juntos, ¿no?

- Claro. Eres muy amable.

Voy a comprar un montón de cosas.
Vas a regresar en bici, ¿no?
Luis va a esperar en la puerta.
Carmen va a jugar* tenis.
Vamos a visitar a Margarita.
Van a regresar temprano.
Ellos van a venir a pie hoy.

14.1

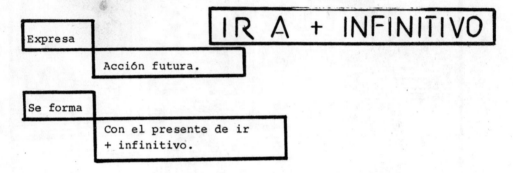

IR A + INFINITIVO

Expresa

Acción futura.

Se forma

Con el presente de ir
+ infinitivo.

Voy a jugar pelota.

I. SUSTITUYE.

Ej: Martha va a comprar un libro.
      (yo)
      Voy a comprar un libro.

A. Vamos a visitar a María juntos.

(tú) (ustedes) (él)

(yo) (Juan) (ellos)

B. Voy a comprar un montón de cosas.

(usted) (los niños) (tú)

(nosotros) (la señora) (Jorge)

* Verbo irregular.

C. Vas a aprender un diálogo.
   (los muchachos) (ellos) (yo)
   (la niña) (ustedes) (Carlos)

F. Voy a borrar el pizarrón.
   (la maestra) (tú) (la niña)
   (ustedes) (ellos) (nosotros)

D. Van a jugar tenis juntos.
   (yo) (los señores) (Martha)
   (nosotros) (él) (tú)

G. Vas a necesitar un abrigo.
   (yo) (ustedes) (nosotros)
   (los niños) (María) (el bebé)

E. Vamos a arreglar el coche juntos.
   (tú) (el señor) (Carlos)
   (los muchachos) (usted) (yo)

H. Van a venir a pie.
   (ella) (la señora) (usted)
   (yo) (el señor) (nosotros)

II. CAMBIA COMO EN EL EJEMPLO.
    Ej: Visitamos a Margarita <u>a veces</u>.   (PRESENTE)
          Vamos a visitar a Margarita <u>mañana</u>.   (FUTURO)

1. Generalmente arreglamos el coche.
2. Borras el pizarrón frecuentemente.
3. Necesito mi radio hoy.
4. Vemos al doctor a veces.
5. Siempre salimos temprano.
6. Estudian los diálogos hoy.
7. Llevamos al niño a veces.
8. Frecuentemente oigo esos discos.
9. Hoy limpiamos la casa.
10. ¿Tienes prisa hoy?
11. Estudio en la noche generalmente.
12. A veces voy en bici.

119

III. CAMBIA AL PRESENTE COMO EN EL EJEMPLO.

RECUERDA:

El presente se usa para expresar acción futura con una expresión de tiempo.

Ej: Van a venir hoy.

Vienen hoy.

1. Vamos a estudiar mañana.

2. ¿Vas a ir a pie hoy?

3. Van a jugar hoy.

4. Va a venir el mes próximo.

5. Vamos a practicar hoy en la noche.

6. Carlos va a hablar la semana próxima.

7. Voy a ver al doctor pasado mañana.

8. Ellos van a salir hoy en la tarde.

9. Vamos a regresar en la noche.

10. Van a venir juntos mañana.

11. Va a salir el mes próximo.

12. Voy a ir a la playa mañana.

IV.   FORMA DOS ORACIONES. USA MAÑANA, LA SEMANA PRÓXIMA, EL MES PRÓXIMO, HOY EN LA NOCHE, ETC.

Ej: Elena regresa hoy.   (PRESENTE)

Elena regresa pasado mañana.   (FUTURO)

Elena va a regresar pasado mañana. (FUTURO)

1. Generalmente salimos temprano.

2. Cierran la tienda a veces.

3. Visitas a Teresa hoy.

4. Voy a la playa frecuentemente.

5. Regresan a pie generalmente.

6. A veces veo a mi amiga.

7. Traemos las cosas hoy.

8. Frecuentemente juegan tenis.

9. A veces voy a pie.

10. Salgo tarde hoy.

V.   CAMBIA AL NEGATIVO.

Ej: Ella va a ir a la tienda.

Ella <u>no</u> va a ir a la tienda.

1. Voy a tener un coche nuevo.
2. Vamos a salir temprano.
3. Elena va a ver la televisión.
4. Ellos van a regresar temprano.
5. Vamos a visitar a Margarita.
6. Juan va a dar una conferencia.
7. Vas a limpiar tu recámara.
8. Vamos a subir por el elevador.
9. Teresa va a practicar inglés.
10. Van a recibir un regalo.
11. Ellos van a tocar la guitarra
12. Voy a comprar un montón de cosas.

14.2

Vas a trabajar hoy, ¿no?

El señor no va a salir, ¿verdad?

Van a cerrar la tienda, ¿no?

Vas a traer a tus niños, ¿verdad?

Las formas
¿verdad? y ¿no?
se usan para
obtener la
confirmación
de lo que se
dice.

Eres americano,
¿verdad?

VI.   REPITE EL MODELO Y AGREGA <u>¿VERDAD?</u>

Ej: Va a aprender español.

Va a aprender español,¿verdad?

1. Vas a comprar leche.
2. Van a estudiar mucho.
3. Vamos a salir temprano.
4. Ella no va a venir a pie.
5. Va a leer el periódico.
6. Vamos a oír música.
7. No vas a regresar.
8. Vas a traer al niño.
9. Ella no va a ver al doctor.
10. Van a hacer la tarea juntos.

VII. REPITE EL MODELO Y AGREGA ¿NO?

    Ej: Vas a venir hoy.

            Vas a venir hoy, ¿no?

1. Vamos a leer los diálogos.
2. Vas a comprar un montón de libros.
3. Luisa va a limpiar el cuarto.
4. Van a comer en la casa.
5. Vas a subir por la escalera.
6. Van a necesitar sus libros.
7. Vas a ir a la playa.
8. Vamos a trabajar juntos.
9. Carlos va a regresar tarde.
10. Vas a llevar un regalo.

Jorge va a necesitar <u>su chamarra.</u>

<u>La</u> va a necesitar hoy.

Carmen no va a traer <u>al niño.</u>

No <u>lo</u> va a traer.

Ellos van a estudiar <u>idiomas.</u>

<u>Los</u> van a estudiar.

<table>
<tr><td>RECUERDA:</td></tr>
<tr><td>a + el = al</td></tr>
</table>

La señora va a cerrar <u>el libro.</u>

Va a cerrar<u>lo.</u>

Ustedes no van a hacer <u>la tarea.</u>

No van a hacer<u>la.</u>

Teresa va a dar <u>unas conferencias.</u>

Va a dar<u>las.</u>

IRA + INF. + O.D.

> El pronombre de o.d. puede colocarse antes
>
> <u>Lo</u> voy a comprar.
>
> o después de los verbos
>
> Voy a comprar<u>lo</u>.
>
> El pronombre de o.d. y el infinitivo forman una sola palabra cuando el **pronombre** se coloca después.
>
> comprar<u>lo</u>   dar<u>las</u>
> llevar<u>la</u>   hacer<u>los</u>

VIII.   CAMBIA COMO EN EL EJEMPLO.

A.   Ej: Luis va a traer <u>un pastel</u>.
               <u>Lo</u> va a traer.

1. Voy a comprar un montón de cosas.
2. Vamos a traer a los niños.
3. No van a oír el radio.
4. Van a ver la televisión.
5. Vamos a escribir las oraciones.
6. No vas a leer ese poema.
7. Luis va a dar un regalo.
8. Van a cerrar las ventanas.
9. No voy a comprar chocolates.
10. Vamos a decir la verdad.
11. Voy a llevar los libros.
12. Ustedes van a esperar al doctor.

B.   Ej: Luis va a traer <u>un pastel</u>.
               Va a traer<u>lo</u>.

1. Vamos a necesitar cigarros.
2. Voy a leer el periódico.
3. Van a hacer su tarea.
4. Vas a practicar los diálogos.
5. Ella va a barrer su cuarto.
6. Van a coser unos vestidos.
7. Vas a dar una conferencia.
8. Vamos a tener una clase.
9. Voy a llevar unos discos.
10. Van a escribir un telegrama.
11. Carlos va a borrar el pizarrón.
12. Vamos a llevar el paquete.

123

CONVERSACIÓN

IX.   LEE Y CONTESTA LAS PREGUNTAS.

Los muchachos tienen una reunión hoy. Es una reunión
importante porque van a hablar del programa bilingüe.
Los estudiantes de este programa van a ser maestros
de niños bilingües. Es necesario hablar de las materias
de arte y de historia. Estas materias son muy útiles
para el maestro porque dan una idea general de la
cultura latinoamericana. Los muchachos quieren muchas
cosas interesantes: clases, conferencias y reuniones.

1. ¿Qué tienen los muchachos hoy?

2. ¿Por qué es importante esta reunión?

3. ¿Qué van a ser los estudiantes de este programa?

4. ¿De qué es necesario hablar?

5. ¿Son útiles estas materias?

6. ¿Por qué son útiles?

7. ¿Qué quieren los muchachos?

8. ¿Estudias arte?

9. ¿Estudias español?

10. ¿Para qué estudias español?

LECCIÓN 15

- ¿Qué día es hoy?

- Viernes.

- ¡Qué maravilla! Mañana no tenemos escuela. Te invito al cine.

- ¡Me invitas al cine! ¿Tienes dinero?

- Bueno, no, no suficiente. Te invito pero tú pagas tu boleto.

- ¿Nos necesitas?

- No, ahorita no. Las voy a necesitar después, probablemente.

- Entonces vamos un rato a casa de Marcela.

- ¿Qué van a hacer allá?

- Vamos a oír unos discos nuevos. Los compró en Venezuela.

- ¿Son de música venezolana?

- No, exactamente. Son de música latinoamericana en general.

125

- ¿Quién te ayuda con tu tarea?

- Me ayuda Lola, mi amiga colombiana.

- ¿Nos llevas en tu coche?

- Sí, los llevo, pero no ahorita.

- Esa es Lupita, ¿la conoces?

- La conozco de vista solamente.

- ¿Me vas a invitar a tu fiesta?

- Sí, claro. Te voy a invitar.

- o - o - o - o - o - o - o - o -

- ¿Vas a llevarme en tu coche?

- Sí, voy a llevarte.

- ¿Vas a visitarnos mañana?

- No, mañana no, el viernes.

- ¿Vas a saludarlas?

- Sí, las voy a saludar.

- ¿Cuándo nos vas a llamar?

- Los voy a llamar el jueves.

OBJETO DIRECTO

RECUERDA:

El objeto directo puede ser una persona
o una cosa.

Voy a llevar <u>un pastel</u>.
<u>Lo</u> voy a llevar.

Voy a llevar a <u>la niña</u>.
<u>La</u> voy a llevar.

```
PRONOMBRES DE O.D.

me        nos

te        los - las

lo - la
```

I. CAMBIA COMO EN EL EJEMPLO.

A. Ej: Ellos van a invitar<u>me</u>.

Ellos <u>me</u> van a invitar.

1. Van a visitarme.

2. Van a llevarme en coche.

3. Va a ayudarme hoy.

4. Van a esperarme allá.

5. Va a recibirme a las cinco.

6. ¿Vas a necesitarme?

7. Van a oírme.

8. María va a llamarme.

9. ¿Van a saludarme?

10. Van a traerme temprano.

B.　　Ej:　　Martha <u>te</u> va a ayudar.

　　　　　　Martha va a ayudar<u>te</u>.

1. Te voy a invitar al cine.
2. Te vamos a ver mañana.
3. ¿Te van a esperar?
4. Te voy a llevar el libro.
5. Ellas te van a esperar.
6. ¿Te van a traer en coche?
7. María te va a conocer hoy.
8. Los niños te van a saludar.
9. ¿Te va a recibir el doctor?
10. Te voy a llamar a las nueve.

C.　　Ej:　　Van a visitar<u>nos</u>.

　　　　　　<u>Nos</u> van a visitar.

1. ¿Vas a esperarnos?
2. Van a ayudarnos.
3. Carlos va a llevarnos.
4. Van a vernos hoy.
5. Teresa va a llamarnos.
6. Van a recibirnos temprano.
7. ¿Vas a visitarnos?
8. La señora va a invitarnos.
9. Ellos van a necesitarnos.
10. Va a traernos en coche.

II.　　SUSTITUYE.

　　　　Ej:　　Vamos a ver a <u>Jorge</u>.

　　　　　　　<u>Lo</u> vamos a ver.

1. Voy a ver al doctor hoy.
2. Vamos a llamar a Juan.
3. Van a querer al bebé.
4. Voy a ayudar a Luis.
5. Vamos a oír al muchacho.
6. Luisa va a arreglar al niño.
7. Voy a esperar a Carlos.
8. Van a invitar a tu amigo.
9. ¿Vas a recibir a Javier?
10. Vamos a necesitar al maestro.

B.　　Ej:　　¿Vas a llamar a <u>Carmen</u>?

　　　　　　¿Vas a llamar<u>la</u>?

1. Vamos a esperar a Rosa.
2. Voy a visitar a María.
3. ¿Van a traer a la niña?
4. Vamos a saludar a Teresa.
5. Van a recibir a Martha.
6. Voy a arreglar a la niña.
7. Vamos a ayudar a la señora.
8. ¿Vas a invitar a Carmen?
9. ¿Va usted a necesitar a Lupe?
10. Voy a conocer a tu amiga.

128

C.   Ej: Voy a conocer a <u>los muchachos</u>.
               Voy a conocer<u>los.</u>

1. Vamos a saludar a los señores.
2. Voy a llamar a los niños.
3. Van a ayudar a los muchachos.
4. Vamos a invitar a tus amigos.
5. ¿Vas a ver a los maestros hoy?
6. Voy a esperar a los niños.
7. Vamos a recibir a los doctores.
8. Van a necesitar a los alumnos.
9. Ella va a **arreglar** a sus niños.
10. Voy a traer a mis amigos.

D.   Ej: ¿Van a traer a <u>sus amigas</u>?
               ¿<u>Las</u> van a traer?

1. ¿Vas a invitar a las niñas?
2. Vamos a saludar a los maestros.
3. Voy a conocer a tus amigos.
4. Van a ayudar a los muchachos.
5. ¿Vas a traer a tus niñas?
6. Van a visitar a sus amigas.
7. Voy a llevar a las muchachas.
8. Vamos a esperar a las maestras.
9. Van a conocer a las niñas.
10. Voy a necesitar a las alumnas.

¿Qué día es hoy?

Es lunes, es el primer día

de la semana.

Es un día de trabajo.

¿Qué día es hoy?

Es martes, es el segundo día de

la semana.

Es un día de escuela.

129

¿Qué día es hoy?

Es miércoles, es el tercer día de la semana.

¿Qué día es hoy?

Es jueves, es el cuarto día de la semana.

¿Qué día es hoy?

Es viernes, es el quinto día de la semana.

¿Qué día es hoy?

Es sábado, es el sexto día de la semana.

El sábado no es un día de escuela.

¿Qué día es hoy?

Es domingo, es el séptimo día de la semana.

No es un día de trabajo, es un día de
descanso.

¿Cuál es el primer día de la semana?

El lunes.

¿Cuándo viene tu mamá?

El jueves.

ATENCIÓN:

el día
los días

130

ATENCIÓN:

> Los adjetivos numerales generalmente se colocan antes del nombre:
>
> > El segundo libro.
> >
> > La segunda semana.
>
> PERO:
>
> > El primer día.
> > El tercer día.

ESTUDIA:

> 1o. primero
>
> 2o. segundo
>
> 3o. tercero
>
> 4o. cuarto
>
> 5o. quinto
>
> 6o. sexto
>
> 7o. séptimo.

III. CONTESTA.

A.   Ej: ¿Qué día es hoy?

(jueves)

Es jueves, es el cuarto día de la semana.

¿Qué día es hoy?

(lunes) (viernes) (domingo)

(sábado) (miércoles) (martes)

B.   Ej: ¿Cuál es el primer día de la semana?

El lunes.

1. ¿Cuál es el tercer día de la semana?

2. ¿Cuál es el quinto día de la semana?

3. ¿Cuál es el cuarto día de la semana?

4. ¿Cuál es el séptimo día de la semana?

5. ¿Cuál es el primer día de la semana?

6. ¿Cuál es el quinto día de la semana?

7. ¿Cuál es el sexto día de la semana?

8. ¿Cuál es el segundo día de la semana?

9. ¿Cuál es el tercer día de la semana?

10. ¿Cuál es el séptimo día de la semana?

C. Ej: ¿Es el martes el primer día de la semana?

No, es el lunes. (Sí, sí es.)

1. ¿Es el domingo el primer día de la semana?
2. ¿Es el miércoles el tercer día de la semana?
3. ¿Es el sábado el sexto día de la semana?
4. ¿Es el martes el quinto día de la semana?
5. ¿Es el jueves el segundo día de la semana?
6. ¿Es el lunes el primer día de la semana?
7. ¿Es el viernes el tercer día de la semana?
8. ¿Es el domingo el sexto día de la semana?
9. ¿Es el martes el séptimo día de la semana?
10. ¿Es el sábado el cuarto día de la semana?

III. CONTESTA.

Ej: ¿Cuándo vas a traer a la niña?

Voy a traerla el jueves.

La voy a traer el jueves.

1. ¿Cuándo vas a hacer el pastel?
2. ¿Cuándo van a comprar los cuadernos?
3. ¿Cuándo vas a llamarme?
4. ¿Cuándo vamos a saludar a María?
5. ¿Cuándo van a ayudarnos?
6. ¿Cuándo va a pagar los boletos?
7. ¿Cuándo va a ver al maestro?
8. ¿Cuándo van a necesitar el dinero?
9. ¿Cuándo vamos a dar la conferencia?
10. ¿Cuándo vas a visitarme?

¿Cuánto dinero tienes?

Tengo solamente un peso.

Solamente tengo un peso.

¿Dónde está el maestro?

Está allá.

Allá está.

¿Cuándo vas a estudiar?

Voy a estudiar ahorita.

Ahorita voy a estudiar.

¿Cuándo hay clase?

Probablemente mañana.

Mañana probablemente.

- El adverbio es un modificador del verbo,

    Estudia inútilmente.

 del adjetivo,

    Está un poco triste.

 o de otro adverbio,

    Llega muy temprano.

- Es invariable.

- Se coloca antes o después del verbo.

OBSERVA:

    necesario - necesaria + mente
            necesariamente

Hay muchos adverbios que se forman agregando la terminación -mente al adjetivo femenino singular.
....
PERO: fácil + mente
                  fácilmente

IV. CAMBIA COMO EN EL EJEMPLO.

 Ej: Oímos música mexicana generalmente.
          Generalmente oímos música mexicana.

1. Voy a mi clase ahorita.
2. Tenemos exactamente diez pesos.
3. La señora García está allá.
4. Nos vemos el año próximo.
5. La semana próxima te llamo.
6. Probablemente vamos a visitarte.
7. Voy a comprarlo hoy en la noche.
8. No tenemos dinero generalmente.
9. Solamente veo un rato la televisión.
10. Posiblemente vamos al cine hoy.

133

V. LEE CUIDADOSAMENTE Y CONTESTA LAS PREGUNTAS.

Hoy es domingo, es un día de descanso. Elena y Juan
van a llevar a David a Cuernavaca. Van a salir a las
ocho de la mañana. David lleva una pelota para jugar.
El clima de Cuernavaca generalmente es bonito, por eso
es agradable ir allá. Los muchachos van a jugar, a
comer y a comprar unas cosas. Van a regresar a las
nueve de la noche, cansados pero contentos.

1. ¿Qué día es hoy?

2. ¿Quiénes van a llevar a David?

3. ¿Adónde van a llevarlo?

4. ¿Qué lleva David?

5. ¿Cómo es el clima de Cuernavaca?

6. ¿Por qué es agradable ir a Cuernavaca?

7. ¿Qué van a hacer los muchachos allá?

8. ¿Qué van a comprar?

9. ¿A qué hora van a regresar?

10. ¿Cómo van a regresar?

UNIDAD 3

I. CAMBIA A LA PRIMERA PERSONA DEL SINGULAR.

Ej: La señora García tiene prisa.

   (yo)   Tengo prisa.

1. María oye el radio frecuentemente.
2. Mi amigo viene todos los días.
3. Rosa quiere un abrigo de lana.
4. Manuel sale temprano de la escuela.
5. Carlos hace la tarea en la noche.
6. Cierra las ventanas todos los días.
7. La niña tiene una pelota de tenis.
8. Ella va en bici a la tienda.
9. Prefiero una coca cola.
10. Ella nunca juega tenis.
11. Luis no trae el paquete.
12. Elena sabe la verdad.
13. Ella no da la clase de arte.
14. María conoce poco a Teresa.

II. FORMA DOS ORACIONES COMO EN EL EJEMPLO.

Ej: Es posible comer aquí.

   No es posible comer aquí.

   Es imposible comer aquí.

1. Es necesario llegar temprano.
2. Es conveniente asistir a clases.
3. Es posible jugar allá.
4. Es fácil ir en trolebús.
5. Es útil aprender español.
6. Es agradable oír música.

III. COMPLETA.

A.   Ej: Hay <u>pocas</u> personas en la conferencia.

(POCO)

1. Elena sabe _____ canciones.

2. Conocemos _____ estudiantes.

3. Tengo _____ amigos.

4. Hay _____ tarea.

5. Vienen _____ muchachos.

6. Quiero _____ palomitas.

7. Hay _____ diálogos.

8. Traigo _____ dinero.

B.   Ej: No hay _muchos_ muchachos en esa clase.

(MUCHOS)

1. Los niños hacen _____ ruido.   5. No tengo _____ boletos.

2. Carmen habla _____ idiomas.   6. Tienes _____ alumnos.

3. Ellos traen _____ dinero.   7. Ella da _____ clases.

4. No damos _____ regalos.   8. No hay _____ ejercicios.

IV.   COMPLETA. USA EL, LA, LOS, LAS.

1. Voy a llevar _____ telegramas.

2. Jorge va a leer _____ poema.

3. _____ temas de nuestra clase son importantes.

4. ¿Cómo es _____ clima de México?

5. Estudiamos _____ sistemas políticos de Latinoamérica.

6. Este es _____ problema.

7. ¿Estás en _____ programa bilingüe?

8. Vamos a la playa, _____ día está muy bonito.

V.   CONTESTA.

¿QUÉ HORA ES?

1.

2.

3.

4.

5.

6.

7.

8.

VI.   CAMBIA AL FUTURO.

   Ej: <u>Juego</u> tenis <u>hoy.</u>

         <u>Voy a jugar</u> tenis <u>mañana.</u>

1. Salimos muy temprano.   4. Estudias en el programa bilingüe.
2. Regreso a las nueve.   5. Traen su abrigo.
3. Borras el pizarrón.   6. Juegas tenis.

VII. CAMBIA.

   Ej: Van a invitar<u>me</u> a la reunión.

         <u>Me</u> van a invitar a la reunión.

1. Voy a conocerla hoy.   6. Vamos a limpiarlos.
2. Vamos a saludarlas.   7. Carlos va a visitarte mañana.
3. Van a barrerlos.   8. Van a comprarlo ahorita.
4. ¿Vas a recibirla hoy?   9. ¿Va usted a necesitarme?
5. Voy a partirlo.   10. Van a esperarnos allá.

VIII. SUSTITUYE EL OBJETO DIRECTO. DA DOS RESPUESTAS SI ES POSIBLE.

   Ej: Voy a llevar <u>el paquete</u> ahorita.

         Voy a llevar<u>lo</u> ahorita.

         <u>Lo</u> voy a llevar ahorita.

1. Saludamos a la maestra.   6. Voy a ayudar a Margarita.
2. Vamos a saber la verdad.   7. Arreglo la casa en la mañana.
3. ¿Vas a decir el poema?   8. ¿Va usted a llevar el pastel?
4. Jorge borra el pizarrón.   9. Van a pagar los boletos.
5. Vamos a llamar al doctor. 10. No van a visitar a su amiga.

IX.   CONTESTA. DA DOS RESPUESTAS.

   Ej: ¿Vas a traer a tu amigo?

         Sí, voy a traerlo.

         Sí, lo voy a traer.

1. ¿Van a coser los vestidos? 6. ¿Van a necesitar papel y lápiz?
2. ¿Vas a llevarme al cine?   7. ¿Vas a conocer a mis amigos?
3. ¿Va usted a recibirme?   8. ¿Vas a escribir la oración?
4. ¿Vas a oírme?   9. ¿Va usted a borrar el pizarrón?
5. ¿Va a hacer la tarea?   10. ¿Va usted a abrir las ventanas?

X. FORMA UNA ORACIÓN.

D	L	M	M	J	V	S

Ej:
Hoy es martes. Es el segundo día
de la semana.

1.
D	L	M	M	M	V	S

2.
3.
4.
5.

1.
D	L	M	M	J	V	S

2.
3.
4.
5.

XI. COMPLETA CON EL ADVERBIO CORRESPONDIENTE.

Ej: El muchacho escribe (fácil) fácilmente.

1. Nos reciben (amable) _____. 5. (difícil) _____ llegan temprano

2. Lo dice (triste) _____.   6. El doctor lo dice (oficial) _____

3. (posible) _____ juegan hoy. 7. Voy a asistir (necesario) _____

4. Van a hablar (largo) _____. 8. Vamos a verlos (próximo) _____

XII. FORMA DOS ORACIONES. USA PRONOMBRES DE OBJETO DIRECTO.

Ej:

El bebé no quiere el chocolate.
No lo quiere porque está cansado.

- ¿Quién es esa señorita?

- Es la doctora González.
  Es profesora de biología.

- ¿De dónde es?

- Es de Colombia.

- ¿Quiénes son esas personas?

- Son unos visitantes.

- ¿A qué vienen?

- A observar las clases.

- ¿Adónde vas?

- A la biblioteca.

- ¿Para qué vas?

- Para recoger unos libros.

- ¿Qué hay en ese paquete?

- Un árbol de Navidad.

- ¿Es natural?

- No, es sintético.

- ¿De qué es?

- Es de plástico.

- ¿Por dónde está tu escuela?

- Está por el sur de la ciudad.

- ¿Y tu casa?

- También por el sur.

- ¿Por dónde vives?

- Vivo por el centro.

- ¿En qué vienes a la escuela?

- Vengo en camión.

- ¿A quién esperas?

- A la enfermera.

- ¿Para qué la quieres?

- Para hablar con ella.

- ¿En dónde está el rancho?

- En el norte del país.

- ¿Es muy grande?

- Sí, es el más grande
  de aquí.

Viven por el centro.

¿Por dónde viven?

Escribo con la pluma.

¿Con qué escribes?

Voy para mi casa.

¿Para dónde vas?

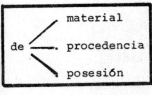

Buscamos a Teresa.

¿A quién buscan?

El maestro es de Brasil.

¿De dónde es?

Lo venden en cien pesos.

¿En cuánto lo venden?

Carmen está con la enfermera.

¿Con quién está Carmen?

Vamos a la casa de Jorge.

¿Adónde van?

Esta jarra es para leche.

¿Para qué es?

El libro está por allí.

¿Por dónde está?

El cenicero es de vidrio.

¿De qué es el cenicero?

16.1

PREPOSICIONES

de	material
	procedencia
	posesión

El sarape es de lana.
¿De qué es?

El poncho es de Perú.
¿De dónde es?

El cenicero es de la señora.
¿De quién es?

por	finalidad, objeto
	proximidad de lugar

Vienen por la niña.
¿Por quién vienen.

Viven por el sur.
¿Por dónde viven.

Voy <u>con</u> Ana.
¿<u>Con quién</u> vas?

Quiero la coca <u>con</u> ron.
¿<u>Con qué</u> quieres coca?

Escribo <u>con</u> lápiz.
¿<u>Con qué</u> escribes?

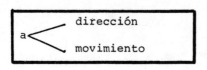

Voy <u>a</u> mi casa.
¿<u>Adónde</u> * vas?

Vienen <u>a</u> estudiar.
¿<u>A qué</u> vienen?

Voy <u>para</u> mi casa.
¿<u>Para dónde</u> vas?

Los lápices** son <u>para</u> el niño.
¿<u>Para quién</u> son?

El vaso es <u>para</u> agua.
¿<u>Para qué</u> es?

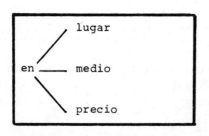

Vivo <u>en</u> México.
¿<u>En dónde</u> vives?

Escribes <u>en</u> español.
¿<u>En qué</u> escribes?

Lo vende <u>en</u> cincuenta pesos.
¿<u>En cuánto</u> lo vende?

* a + dónde = adónde.

** Plural irregular;

lápiⱫ c + es = lápices

142

I. CAMBIA COMO EN EL EJEMPLO. USA <u>QUÉ</u>, <u>QUIÉN</u>, <u>DÓNDE</u>.

A. Ej: Vienen <u>a</u> estudiar.

¿<u>A qué</u> vienen?

1. Vamos a la playa.
2. Buscan a Margarita.
3. Carmen viene a comer.
4. Voy a la cafetería.
5. Vengo a traer los libros.
6. Llamo a Jorge.
7. Quieren a la niña.
8. Ana va al centro.
9. Venimos a pagar el dinero.
10. Visitan a sus amigos.

B. Ej: Estudio <u>con</u> Margarita.

¿<u>Con quién</u> estudias?

1. Juegan con la pelota.
2. Hablas con la enfermera.
3. Vamos con unos amigos.
4. Escriben con lápiz.
5. Regreso con mi amigo.
6. Toman el café con leche.
7. Vivo con otros estudiantes.
8. Practicamos español con discos.
9. Viven con los muchachos.
10. Lo lavo con agua.

C. Ej: Viven <u>por</u> la escuela.

¿<u>Por dónde</u> viven?

1. Vienen* por María.
2. La señora está por la cocina.
3. Voy por mi niña.
4. Los niños están por allá.
5. Preguntan* por la muchacha.
6. Estudio porque quiero.
7. Cerramos por el ruido.
8. Vivo por el sur.
9. Toman café por el frío.
10. La tienda está por mi casa.

* La 3a persona del
plural a veces
indica un sujeto
indefinido.

D. Ej: El regalo es <u>para</u> Carlos.

<u>¿Para quién</u> es?

1. Vamos para la escuela.
2. Leemos para saber.
3. La fiesta es para los niños.
4. Trabajan para tener dinero.
5. El paquete es para Luis.
6. Hablamos español para practicar.
7. Van para el centro.
8. La tela es para hacer un vestido.
9. Voy a comprarlo para María.
10. La bici es para hacer ejercicio.

E. Ej: Trabajo <u>en</u> una escuela.

<u>¿En dónde</u> trabajas?

1. Estudia en su cuarto.
2. Esperamos en la sala.
3. Luisa canta en italiano.
4. Viven en esa casa.
5. Vamos en camión.
6. Compro en aquella tienda.
7. Van a traerlo en el coche.
8. Escriben en español.
9. Trabajamos en un restaurant.
10. Preguntan en inglés.

F. Ej: El reloj es <u>de</u> oro.

<u>¿De qué</u> es el reloj?

1. Esa casa es de Javier.
2. El cenicero es de vidrio.
3. Las telas son de Italia.
4. Hablan de nosotros.
5. Llegamos de Inglaterra.
6. Los sarapes son de lana.
7. Regresan de la escuela.
8. El paquete es de la enfermera.
9. Vienen de Brasil.
10. La botella es de vidrio.

G. Ej: Corren _porque_ tienen prisa.

            ¿_Por qué_ corren?

                    1. La compra porque es útil.
                    2. Oyen las canciones porque son bonitas.
                    3. Vienen porque somos amigos.
                    4. Estudian porque quieren.
                    5. Visitan la ciudad porque es interesante.
                    6. Van al centro porque es necesario.
                    7. Lo leen porque es importante.
                    8. No van al cine porque no tienen dinero.
                    9. Compro un abrigo porque lo necesito.
                   10. No juegan porque están cansados.

II. FORMA DOS ORACIONES COMO EN EL EJEMPLO.

    Ej: Va a llevar _el paquete_ a la cocina.

            Va a llevar_lo_ a la cocina.

            ¿_Adónde_ va a llevarlo?

    1. Vamos a llevar _al niño_ con María.

    2. Voy a comprar _un disco_ para Juan.

    3. ¿Va usted a traer _a su niño_ a la fiesta?

    4. Van a hacer _una reunión_ en su casa.

    5. Elena va a cerrar _la ventana_ por el frío.

    6. Voy a estudiar _los diálogos_ para practicar.

    7. Van a tomar _la coca_ con ron.

    8. Vamos a comprar _una casa_ por el norte.

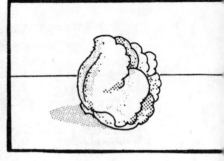

- ¿Quieres visitar la universidad?
- Sí, como no. ¿En dónde está?
- Está en el sur de la ciudad.
- ¿Es muy grande?
- Sí, es muy grande y muy bonita.
- ¿Está muy lejos?
- No, está cerca de aquí.

¿Qué es?
Es una lechuga.

¿Cómo es la lechuga?
Es verde y redonda.

¿Cómo está la lechuga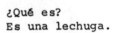
Está fresca.

¿Cómo está Rosa?
Está un poco enferma.

¿Cómo es Rosa?
Es alta y guapa.

¿Qué es Rosa?
Es secretaria bilingüe.
Trabaja en un banco.

¿Cómo está tu hermano?
Bien, gracias.

¿Cómo es?
Es una persona agradable.

¿Es casado?
Sí, sí es. Tiene dos hijo
chicos y una esposa muy
simpática.

SER

```
┌──────────────────────────────────────────────────────────┐
│                                                          │
│   RECUERDA:                                              │
│                                                          │
│   • Identificación de personas:                         │
│                                                          │
│                    ¿Quiénes son?                        │
│                    Son mis hermanos.                    │
│                                                          │
│   • Identificación de objetos:                          │
│                                                          │
│                    ¿Qué es?                             │
│                    Es un banco.                         │
│                                                          │
│   • Descripción de objetos:                             │
│     (cualidades o características permanentes)           │
│                                                          │
│     FORMA:          La lechuga es redonda.              │
│                                                          │
│     COLOR:          El coche es amarillo.               │
│                                                          │
│     MATERIAL:       La blusa es de seda.                │
│                                                          │
│     TAMAÑO:         La universidad es grande.           │
│                                                          │
│   • La hora:                                            │
│                    ¿Qué hora es?                        │
│                                                          │
│                    Son las nueve.                       │
│                                                          │
│   • Ser + adj. + inf.                                   │
│                    Es importante asistir.               │
│                                                          │
└──────────────────────────────────────────────────────────┘
```

. Descripción de personas:
  (cualidades o características permanentes)

. ASPECTO FÍSICO: Rosa es guapa.

. NACIONALIDAD: Es colombiana.

. RELIGIÓN: Ernesto es protestante.

. PROFESIÓN: Ricardo es profesor.

. ESTADO CIVIL: Pilar es casada.

. CARÁCTER: ¿Cómo es Manuel?
                       Es simpático y amable.

ESTAR

RECUERDA:

Localización de personas o cosas:

¿Dónde está el banco?

Ernesto está en su casa.

Saludos:

¿Cómo estás?

Bien, gracias.

Cualidades o características temporales de personas o cosas:

¿Cómo están los niños?

Están cansados.

¿Como está la lechuga?

Fresca y buena.

NORTE

OESTE 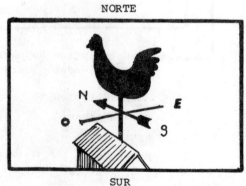 ESTE

SUR

III. COMPLETA. USA <u>SER</u> O <u>ESTAR</u>

1. ¿Qué _____? _____ un disco.

   ¿De dónde _____? _____ de México.

   ¿Dónde _____? _____ en la mesa.

2. ¿Dónde _____ el libro? _____ en el escritorio.

   ¿Cómo _____ ? _____ rectangular.

   ¿De quién _____? _____ de la secretaria.

3. ¿Dónde _____ el rancho? _____ en el sur.

   ¿_____ grande? Sí, sí _____.

   ¿_____ tus amigos en el rancho? No, _____ aquí.

4. ¿_____ casado Manuel? Sí, sí _____.

   ¿Qué _____? _____ doctor.

   ¿Dónde _____? _____ en su casa.

5. ¿Cómo _____ la señora González? _____ bien, gracias.

   ¿Cómo _____? _____ agradable y guapa.

   ¿En dónde _____? _____ en su oficina.

6. ¿Quién _____ ese señor? _____ un visitante.

   ¿_____ cansado? No, _____ un poco enfermo.

   ¿_____ profesor? Sí, sí _____.

7. ¿_____ un árbol de Navidad? Sí, sí _____.

   ¿_____ natural? No, _____ sintético.

   ¿De quién _____? _____ de Margarita.

8. ¿_____ usted católico? No, _____ protestante.

¿De dónde _____ usted? _____ argentino.

¿Qué _____ usted? _____ profesor.

9. ¿Qué hora _____? _____ las nueve.

____ ____ tarde, ¿verdad? Sí, sí _____.

¿A qué hora _____ la clase? _____ a la una.

10. ¿Para qué _____ esta jarra? _____ para café.

¿De quién _____? _____ mía.

¿_____ caliente el café? No, _____ frío.

IV. CONTESTA. USA EL OPUESTO.

Ej: ¿Vives cerca de aquí?

No, vivo lejos de aquí.

1. ¿Está lejos la universidad?

2. ¿Viven cerca del centro?

3. ¿Estamos lejos de tu casa?

4. ¿Vive usted cerca del cine?

5. ¿Está la escuela lejos de aquí?

6. ¿Trabajas cerca de tu casa?

7. ¿Hay un cine cerca de aquí?

8. ¿Está tu oficina lejos de la escuela?

9. ¿Vives cerca de aquí?

10. ¿Estamos lejos del restaurant?

V. COMPLETA. USA <u>A</u>, <u>CON</u>, <u>DE</u>, <u>EN</u>, <u>PARA</u>, <u>POR</u>

1. ¿_____ quién están los visitantes? Están con el maestro.

2. ¿De qué es tu blusa? Es _____ seda.

3. ¿Adónde vas? Voy _____ la tienda.

4. ¿Es suya esta camioneta? No, es _____ Rosa.

5. ¿Vendes tu libro? Sí, lo vendo _____ veinte pesos.

6. ¿_____ dónde viven? Vivimos por la universidad.

7. ¿Qué quieres? Quiero café _____ leche.

8. La jarra es _____ el agua.

9. Todos los días vengo _____ camión.

10. ¿A quién esperas? _____ Margarita.

11. ¿_____ qué quieres la guitarra? Para tocar.

12. El señor pregunta _____ el doctor González.

CONVERSACIÓN

VI. LEE CUIDADOSAMENTE.

David <u>es</u> un muchacho americano. <u>Está</u> en México porque estudia español en la universidad. La universidad <u>está</u> en el sur de la ciudad. <u>Es</u> la universidad más grande de Latinoamérica. David vive con una familia mexicana: los García. La casa <u>es</u> grande y bonita. <u>Está</u> en la calle de Insurgentes. <u>Es</u> conveniente vivir allí porque <u>está</u> cerca de la universidad.

La familia García **es** agradable y simpática. El señor **es**
doctor y trabaja en un hospital. La señora **es** profesora
y trabaja en una escuela. Los muchachos, Juan y Elena,
son estudiantes.

Elena **es** muy guapa pero
hoy **está** un poco enferma.
También **está** cansada porque
es tarde, **son** las once de
la noche.

VII. EXPLICA EL USO DE <u>SER</u> Y <u>ESTAR</u> EN CADA ORACIÓN.

      David **es** un muchacho americano.
      (identificación de personas)

VIII. FORMA UNA ORACIÓN SIMILAR.

      David es un muchacho americano.
      Ellos son unos muchachos colombianos.

- ¿Qué haces?
- Ayudo a mi hermano.
- Parece aburrido.
- No parece, es aburrido.
- ¿Te ayudo?
- Sí, claro. Mientras yo escribo en máquina tú
  me dictas. Así termino más pronto.
- ¿Qué vas a hacer después?
- Nada. ¿Por qué?
- Porque le dan una fiesta de sorpresa a Marcela.
- ¿Dónde?
- En casa de las Romero. ¿Vamos?
- Bueno.

¿Quién me abre la puerta?　　¿Les compras helados a los niñ
Yo, con mucho gusto.　　　　Sí, les compro helados.

¿Quién nos habla?　　　　　¿Por qué le dan una fiesta?
Les habla la secretaria.　　Porque es su cumpleaños.

¿Le escribes a tu familia?　¿Qué te dicta Sara?
Sí, le escribo muy seguido.　Me dicta unas direcciones.

¿Quién les trae flores?　　　Martha le escribe seguido a Lu
Nos trae flores Alejandro.　Luis nunca le contesta.

17.

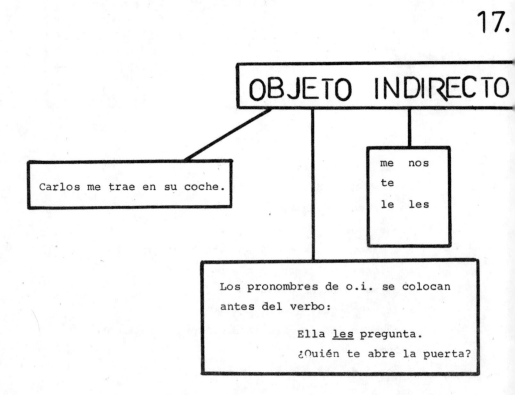

OBJETO INDIRECTO

Carlos me trae en su coche.

me	nos
te	
le	les

Los pronombres de o.i. se colocan
antes del verbo:

　　　Ella les pregunta.
　　　¿Quién te abre la puerta?

1. Manuel _me_ escribe una carta.

2. Carmen _te_ escribe una carta.

3. Rosa _le_ escribe una carta.

4. Carlos _nos_ escribe una carta.

5. Luis _les_ escribe una carta.

ATENCIÓN:

En las oraciones 1, 2 y 4 la persona a la que se refiere el pronombre de o.i. está perfectamente clara:

$$me - a\ mí\ (yo)$$
$$te - a\ ti\ (tú)$$
$$nos - a\ nosotros\ (nosotros)$$

Sin embargo, en las oraciones 3 y 5 hay ambigüedad:

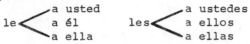

Por eso decimos:

Rosa _le_ escribe una carta _a usted._

Rosa _le_ escribe una carta _a él._

Rosa _les_ escribe una carta a _ellas._

ATENCIÓN:

Las formas
- a usted – a ustedes
- a él – a ellos
- a ella – a ellas

aclaran o dan énfasis al pronombre de o.i. pero <u>no</u> lo sustituyen.

No decimos: Rosa ~~escribe~~ a usted.

Sino: Rosa <u>le</u> escribe.

o

Rosa <u>le</u> escribe <u>a usted.</u>

Las dos formas son correctas y usuales. La segunda es más completa en su significado.

¿<u>Le</u> compras un regalo?
¿<u>Le</u> compras un regalo <u>a ella</u>?

<u>Les</u> llevan unos libros.
<u>Les</u> llevan unos libros <u>a ustedes</u>.

<u>Le</u> pregunto la dirección.
<u>Le</u> pregunto la dirección <u>a él</u>.

<u>Les</u> cantamos una canción.
<u>Les</u> cantamos una canción <u>a ellas</u>.

¿<u>Le</u> trae unas flores?
¿<u>Le</u> trae unas flores <u>a ella</u>?

<u>Les</u> escribo unas cartas.
<u>Les</u> escribo unas cartas <u>a ellos</u>.

I. COMPLETA COMO EN EL EJEMPLO.

Ej: Le compro unas flores.
 (a usted)
 Le compro unas flores a usted.

A. Le contestamos la carta.
 (a él) (a María) (a usted)
 (a Jorge) (a ella) (a la niña)

B. Les digo la verdad.
 (a ellos) (a las muchachas) (a ustedes)
 (a los niños) (a ellas) (a los maestros)

C. ¿Le doy más dinero?
 (a usted) (al niño) (a ella)
 (a Juan) (a él) (a Rosa)

D. Les hago una fiesta de cumpleaños.
 (a tus amigos) (a ellos) (a las niñas)
 (a ellas) (a tus hijos) (a las muchachas)

E. Le termino el trabajo.
 (al niño) (a usted) (a Carlos)
 (a ella) (a su hermano) (a él)

F. Les pregunto la dirección del hospital.
 (a ustedes) (a los niños) (a ellos)
 (a mis amigos) (a ellas) (a las muchachas)

II. CAMBIA COMO EN EL EJEMPLO.

Ej: Le escribo una carta a mi amiga.
 (tú)
 Le escribes una carta a tu amiga.

A. ¿Siempre le hablas en español a tu hija?
 (ustedes) (usted) (Margarita)
 (su amiga) (Ernesto) (ellos)

B. Ellos les traen chocolates a sus niños.
 (nosotros) (tú) (yo)
 (ella) (usted) (mi hija)

157

C. Le dicto una carta a mi secretaria.
   (ellos) (tú) (el doctor)
   (nosotros) (Felipe) (usted)

D. Les compramos unos discos a nuestras amigas.
   (ellos) (Rosa y Luisa) (ustedes)
   (yo) (Raúl) (nosotros)

E. Les digo la verdad a mis hermanas.
   (usted) (tú) (ellas)
   (Pilar) (nosotros) (Miguel)

F. Le contesta la carta a su esposa.
   (tú) (ustedes) (yo)
   (Antonio) (ellos) (mi hermano)

__Me__ dan una fiesta de sorpresa.
__Me__ dan una fiesta de sorpresa __a mí__.

__Te__ traen más flores.
__Te__ traen más flores __a ti__.

__Nos__ compran unos helados.
__Nos__ compran unos helados __a nosotros__.

17.3

> Las formas __a mí__, __a ti__,
> __a nosotros__ se usan sólo
> para dar énfasis. __No__
> sustituyen al pronombre.

No decimos:

~~Compran unos helados a nosotros.~~

Sino:

Nos compran unos helados.

o

Nos compran unos helados a nosotros.

III. REPITE EL MODELO Y AGREGA LAS FORMAS A MÍ, A TÍ, A NOSOTROS.

Ej:　　　Martha me escribe una carta.
　　　　Martha me escribe una carta a mí.

1. Nos dictan unos verbos.
2. Te traigo una sorpresa.
3. Me dan una fiesta de cumpleaños.
4. Te escribe en máquina.
5. Nos compran unas flores.
6. Me dice la verdad.
7. Nos terminan la tarea. -homework
8. Te van a pagar pronto.
9. Nos compran unos helados.
10. Me hablan en francés.
11. Nos van a preguntar los diálogos.
12. Te abren la puerta.

IV. CAMBIA AL NEGATIVO.

Ej:　　　Me escribe una carta.
　　　　No me escribe una carta.

1. La lavo muy seguido. *pick up* *often*
2. Te recojo los papeles.
3. Los invito a una fiesta.
4. Nos hablan en español.
5. Lo quiero mucho.
6. Me hablan por teléfono.
7. Las visitan frecuentemente.
8. Les dicto unas oraciones.
9. Me saluda esa niña.
10. Le compro más discos.
11. La llevo al cine.
12. Te llama Margarita.

V. COMPLETA COMO EN EL EJEMPLO.

Ej:　　　Esa señora parece enferma.
　　　　Parece, pero no está.

1. Esa ciudad parece grande.
2. Mi hermano parece borracho. -alcoholic
3. La lechuga parece fresca.
4. Sus hijos parecen simpáticos.
5. La secretaria parece agradable.
6. Tus amigas parecen contentas.
7. La conferencia parece aburrida.
8. Las flores parecen naturales.
9. Esos sistemas parecen buenos.
10. Los González parecen amables.
11. Los niños parecen ocupados.
12. El árbol parece sintético.

159

VI. CONTESTA COMO EN EL EJEMPLO.

Ej: ¿Vas a salir ahorita?

Ahorita no, voy a salir después.

1. ¿Van a llamar ahorita?   5. ¿Van a escribir ahorita?
2. ¿Va a barrer ahorita?   6. ¿Vas a terminar ahorita?
3. ¿Va usted a ir ahorita? 7. ¿Van a preguntar ahorita?
4. ¿Van a pagar ahorita?   8. ¿Vas a abrir ahorita?

VII. FORMA DOS ORACIONES.
     USA <u>SER</u> Y <u>ESTAR</u>.

CONVERSACIÓN

Ej:

La señora García es enfermera.
Está ocupada ahorita.

LECCIÓN 18

- ¿Me compras un boleto?
- ¿Para qué es?
- Para una rifa. ¿Me lo compras?
- Sí, te lo compro.
- ¿Qué número quieres?
- Cualquiera.

- ¿Te vas a llevar tus discos hoy?
- Sí, me los voy a llevar porque los necesito.
- ¿Para qué?
- Para oírlos. ¿Sirven para otra cosa?
- ¡Qué graciosa!

- Luisa me va a hacer un vestido.
- ¿Por qué no lo haces tú?
- Porque no sé coser bien. Ella me lo va a cortar y yo voy a coser un poco.
- ¿Le vas a pagar?
- No exactamente, pero le voy a escribir sus trabajos en máquina.

161

Nos piden* <u>las direcciones</u>.　　Te contesto <u>tu pregunta</u>.

Nos <u>las</u> piden.　　　　　　　　Te <u>la</u> contesto.

Me dictas <u>los diálogos</u>.　　　Nos terminan <u>el trabajo</u>.

Me <u>los</u> dictas.　　　　　　　Nos <u>lo</u> terminan.

Te decimos <u>la verdad</u>.　　　　Me hace <u>la comida</u>.

Te <u>la</u> decimos.　　　　　　　Me <u>la</u> hace.

Nos presta <u>sus discos</u>.　　　Te enseño <u>esas canciones</u>.

Nos <u>los</u> presta.　　　　　　Te <u>las</u> enseño.

Me prepara <u>el desayuno</u>.　　Te sirvo* <u>la cena</u>.

Me <u>lo</u> prepara.　　　　　　Te <u>la</u> sirvo.

18.1

O.I. + O.D.

Cuando hay dos pronombres
de objeto en la misma
oración, se colocan:

o.i. + o.d. + verbo

OBSERVA:

Luisa <u>me</u> prepara <u>la comida</u>.
　　　o.i.　　　　　o.d.

<u>Me</u> <u>la</u> prepara.

* Verbo irregular

162

I. SUSTITUYE EL OBJETO DIRECTO.
A. Ej: María me corta <u>un vestido</u>.
         María me <u>lo</u> corta.

1. Nos sirven el desayuno.
2. Te presto un peso.
3. Me compran un boleto.
4. Te preparo un café.
5. Nos piden tu teléfono.
6. Me recoge el papel.
7. Te vendo un disco.
8. Nos dictan un diálogo.
9. Me corta un vestido.
10. Te termino tu trabajo.

B.
1. Me abre la puerta.
2. Nos prestan la máquina.
3. Te dicto la carta.
4. Me trae una flor natural.
5. Nos limpia la cocina.
6. Te busco la lechuga fresca.
7. Nos preparan la cena.
8. Me corta una blusa.
9. Te pido la dirección.
10. Me sirve la comida.

C.
1. Te escribo los diálogos.
2. Nos piden los teléfonos.
3. Me vende unos boletos.
4. Nos dan unos helados.
5. Te presto los sarapes.
6. Me traen los abrigos.
7. Te compro los regalos.
8. Nos enseñan los verbos.
9. Me dictan los ejercicios.
10. Te pagan los relojes.

D.
1. Nos dicen las oraciones.
2. Te compro más palomitas.
3. Me enseñan unas canciones.
4. Nos enseñan las guitarras.
5. Me buscan las direcciones.
6. Te contesto las cartas.
7. Nos prestan las jarras.— *pitcher*
8. Me pide las máquinas.
9. Nos dan unas cocas.
10. Te lavan las blusas.

163

E.

1. Me dictan el diálogo.
2. Nos cose las cortinas.
3. Te preparo la cena.
4. Nos enseñan los ejercicios.
5. Me sirven el desayuno.
6. Te lavo los ceniceros.
7. Me escribe unas oraciones.
8. Te dicen el número.
9. Nos buscan las direcciones.
10. Te hago la comida.
11. Nos trae unos helados.
12. Me piden la dirección.

Le voy a llevar una sorpresa a Luisa.
Se la voy a llevar.

Les pides tus libros a los muchachos.
Se los pides.

Le vamos a conseguir* un boleto.
Se lo vamos a conseguir.

Les pregunto las direcciones a tus amigos.
Se las pregunto.

18.2

ATENCIÓN:

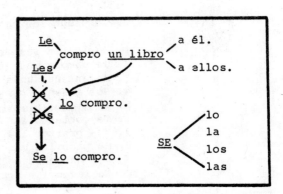

* Verbo irregular.

164

II. SUSTITUYE EL OBJETO DIRECTO.
   Ej: Le presto un lápiz.
         Se lo presto.

A.   (le)

1. Le vendo unos discos.
2. Le pregunto las direcciones.
3. Le pido tres pesos.
4. Le dan una fiesta.
5. Le consiguen un boleto.
6. Le compro unas flores.
7. Le dicto una oración.
8. Le busco unas plumas.
9. Le sirvo la cena.
10. Le preparo el desayuno.

B.   (les)

1. Les traen un regalo.
2. Les llevan la máquina.
3. Les consigo unos discos.
4. Les pregunto la dirección.
5. Les piden unos helados.
6. Les preparo los cafés.
7. Les compras un chocolate.
8. Les corto una blusa.
9. Les enseño unas canciones.
10. Les escribo una carta.

C.   (le - les)

1. Le pido el teléfono.
2. Les damos unos helados.
3. Les escribo las oraciones.
4. Les termino un vestido.
5. Le borro el pizarrón.
6. Les arreglo los clósets.
7. Les limpian su coche.
8. Le digo los diálogos.
9. Les lavo la jarra.
10. Le consigo los boletos.

D.   (me - te
     nos)

1. Me sirven el desayuno.
2. Nos dan la máquina.
3. Te compro un helado.
4. Me venden ese coche.
5. Te traigo unas flores.
6. Nos piden el dinero.
7. Te limpian la casa.
8. Me consiguen las direcciones.
9. Te busco el paquete.
10. Nos preguntan los diálogos.

E. (me - te - le - nos - les)

1. Te leo la carta.
2. Nos buscan el libro.
3. Le enseñan español.
4. Me dictas el trabajo.
5. Le pido los teléfonos.
6. Te preparo la cena.

7. Les consigo los periódicos.
8. Nos traen un regalo.
9. Les pregunto la dirección.
10. Me prestan la flauta.
11. Les sirvo el desayuno.
12. Nos recogen los papeles.

III. CAMBIA COMO EN EL EJEMPLO.

A. Ej: <u>Le</u> van a buscar <u>el libro</u>.
   <u>Se lo</u> van a buscar.

1. Te voy a traer un sarape.
2. Le va a comprar un piano.
3. Me va a limpiar el cuarto.
4. Te van a buscar los papeles.
5. Nos van a preparar la cena.
6. Le voy a lavar la camioneta.
7. Les voy a prestar el disco.
8. Me vas a conseguir unas cosas.
9. Te vamos a leer el periódico.
10. Les van a terminar los trabajos.
11. Le vamos a pedir los cuadernos.
12. Te voy a servir el desayuno.
13. Les van a conseguir los boletos.
14. Nos van a dictar unas oraciones.

<u>RECUERDA</u>:

Le voy a comprar un regalo.
<u>Se lo</u> voy a comprar.
o
Voy a comprár<u>selo</u>.

B. Ej: Van a buscar<u>le el libro</u>.
   Van a buscár<u>selo</u>.

1. Le vamos a llevar la guitarra.
2. Me va a conseguir las cartas.
3. Le voy a servir la comida.
4. Nos van a cantar una canción.
5. Les vas a prestar tu piano.
6. Le va a recoger los papeles.
7. Te voy a hacer el pastel.
8. Le vas a cortar la blusa.
9. Me va a preguntar los verbos.
10. Les vamos a preparar la cena.
11. Nos van a hacer más café.
12. Le vamos a dictar las oraciones.
13. Te van a preguntar los diálogos.
14. Les voy a pedir más libros.

SERVIR

La mamá sirve la comida.

Está muy ocupada.

La televisión no sirve.

Está descompuesta.

El papá sirve las copas y las muchachas sirven la botana.

Este líquido no sirve para los vidrios. Es para los pisos.

ENSEÑAR

La maestra va a enseñar más verbos hoy.

Jorge nos enseña su coche.

ARREGLAR.

Los muchachos arreglan
el cuarto.

Ese señor arregla radios
y televisiones.

Teresa arregla a su niño
porque va a una fiesta.

El vestido está roto. Mi
hermana va a arreglarlo.

ROTO

DESCOMPUESTO

El lápiz está roto.
La botella está rota.

168

El reloj está descompuesto.
La tele está descompuesta.

¿A qué hora vienes?
Antes de comer.

¿Para qué necesitas el líquido?
Para limpiar los pisos.

¿Cuándo regresa tu mamá?
Después de trabajar.

¿A qué viene el doctor?
A traerme una medicina.

¿Por qué estás enfermo?
Por comer mucho.

ATENCIÓN:

PREPOSICIÓN + INF 18.4

> Preposición + infinitivo
> Antes de desayunar.

IV. CONTESTA COMO EN EL EJEMPLO.

Ej: ¿A qué viene Margarita?

A traer los libros.

1. ¿Para qué estudias español?
2. ¿A qué va usted allá?
3. ¿Para qué practicas piano?
4. ¿A qué hora regresas?
5. ¿Cuándo vienen los muchachos?

6. ¿Para qué prepara la comida?
7. ¿Cuándo vas a la biblioteca?
8. ¿Para qué preguntas?
9. ¿Para qué sirve la máquina?
10. ¿Para qué compras leche?

INF. + O.D. 18.5

> infinitivo + o.d.
>
> Vengo después de comprar el libro.
> Vengo después de comprarlo.

V.   SUSTITUYE.
A.   Ej: Voy a llevar <u>el paquete</u>.
            Voy a llevar<u>lo</u>.

1. Regreso antes de comprar las medicinas.
2. Corto la tela para hacer un vestido.
3. Vamos a traer a los niños.
4. El doctor viene a ver a María.
5. Voy después de leer el libro.
6. Ella regresa para hacer la comida.
7. Vienen antes de arreglar las bicicletas.
8. La jarra es para poner la leche.
9. Vengo a ayudar a los muchachos.
10. Estudio para aprender esas lenguas.

VI.   CONTESTA COMO EN EL EJEMPLO.
       Ej: ¿<u>Para qué</u> quieres el radio?
            <u>Para arreglarlo</u>.

1. ¿Para qué compras esa medicina?
2. ¿Cuándo escribes los diálogos?
3. ¿Para qué necesitas la guitarra?
4. ¿A qué hora traes los libros?
5. ¿Para qué tienes un radio?
6. ¿Para qué quieres el líquido?
7. ¿Para qué quieres la televisión?
8. ¿A qué hora sirves la cena?
9. ¿Para qué necesitas las copas?
10. ¿Cuándo traes los discos?

---

infinitivo + o.i.

   Vengo a traer<u>les</u> un regalo.

INF. + O.I. 18.6

VII.   CONTESTA COMO EN EL EJEMPLO.
       Ej: ¿<u>A qué</u> viene Tere?
            <u>A traerme</u> los discos.

1. ¿Para qué quieres la tela?
2. ¿A qué hora va Rosa?
3. ¿A qué vienen los muchachos?
4. ¿Para qué prepara la cena?
5. ¿Cuándo regresas?
6. ¿Para qué cortan el vestido?
7. ¿Para qué llaman?
8. ¿A qué hora comes?
9. ¿A qué vienes?
10. ¿A qué van ustedes?

> infinitivo + o.i. + o.d.
> Vengo a traer**les** un <u>regalo</u>.
> Vengo a traér**selo**.

VIII. SUSTITUYE EL OBJETO DIRECTO.
        Ej: Viene para hacernos <u>la comida</u>.
              Viene para hacérnos<u>la</u>.

1. Vengo a traerte la medicina.
2. Quiero la tela para hacerme una blusa.
3. Regresan después de llevarles las llaves.
4. Vienen a darle una sorpresa.
5. El niño está aquí para enseñarte su pelota.
6. Venimos a servirles el desayuno.
7. Contesto después de preguntarles la verdad.
8. Vengo para darte los boletos.
9. La llamo para pedirle el líquido.

IX.   CONTESTA COMO EN EL EJEMPLO.
        Ej: <u>¿Para qué</u> compras los lápices?
           <u>Para dárselos</u> a los niños.

1. ¿A qué hora me lo dices?
2. ¿Para qué quieres la medicina?
3. ¿A qué hora nos enseñas el regalo?
4. ¿Cuándo nos traes los libros?
5. ¿Para qué le llevas el disco?
6. ¿Para qué consigues el boleto?
7. ¿A qué vienen?
8. ¿Para qué quieres las flores?
9. ¿Para qué llamas a María?
10. ¿Para qué traes esas flores?

X.   CAMBIA COMO EN EL EJEMPLO.
        Ej: Vengo <u>antes de</u> estudiar.
           Estudio <u>después de</u> venir.

1. Hablas antes de oír.
2. Preguntan después de pagar.
3. Contesto después de oír.
4. Juegan después de comer.
5. Cierran antes de salir.
6. Practico después de estudiar.
7. Salen después de llamar.
8. Vamos antes de trabajar.
9. Juego antes de regresar.
10. Salimos después de leer.

CONVERSACIÓN

XI. DI ALGO SOBRE LA ILUSTRACIÓN.

- ¿Qué están haciendo los García?
- Están arreglando la casa. Van a tener una fiesta el sábado, por eso están limpiando todo.
- ¿Qué está haciendo la señora?
- Está lavando los vidrios.
- ¿Y el señor?
- Está arreglando una lámpara.
- ¿Qué hacen los muchachos?
- Están ayudando a su mamá.
- ¿Qué está haciendo el gato?
- Está durmiendo*.
- ¿Y el perro?
- Está jugando con una pelotita.

* Verbo irregular.

El señor González <u>está leyer</u> el periódico ahora.

No estoy arreglando mi escritorio, <u>estoy escribiendo</u>.

Los muchachos <u>están haciendo</u> gimnasia.

Elena <u>está ayudando</u> a su mamá.

Los niños <u>están durmiendo</u> en su cuarto.

Juan <u>está recogiendo</u> los papeles del piso.

174

ESTAR + GERUNDIO

EXPRESA

Acción que ocurre en el momento presente con una idea de continuidad.

SE FORMA

Con el presente de ESTAR más el gerundio.

Estoy
Estás
Está   trabajando.
Estamos
Están

El gerundio se forma:

cant + ando

com
viv   + iendo

ATENCIÓN:

oír - oyendo
ir - yendo
leer - leyendo
traer - trayendo

Te estoy diciendo la verdad.

Me están pidiendo la bicicleta.

Mi mamá está sirviendo la cena.

Estamos consiguiendo un tocadiscos*.

El gato está durmiendo.

* Un tocadiscos.
Dos tocadiscos.

I.   CAMBIA COMO EN EL EJEMPLO.
A.   Ej: Elena <u>sirve</u> la mesa <u>generalmente</u>.
              Elena <u>está sirviendo</u> la mesa <u>ahorita</u>.

1. Como en el cocina a veces.
2. Mi amiga prepara la cena hoy.
3. Oímos el radio en la noche.
4. Ella siempre dice la verdad.
5. A veces ayudo a mis hijos.
6. Siempre contestan en español.
7. Él enseña gimnasia los sábados.
8. A veces Carlos duerme en la sala. *birds*
9. Frecuentemente observamos los pájaros.
10. El perro siempre duerme en la cocina.
11. Conseguimos boletos frecuentemente.
12. Generalmente contesto el teléfono.

B.   Ej: <u>Estoy leyendo</u> el periódico <u>ahorita</u>.
              <u>Leo</u> el periódico <u>a veces</u>.

1. Están durmiendo ahorita.
2. No están sirviendo ahora.
3. Te estoy oyendo ahorita.
4. Estamos leyendo ese libro.
5. Estoy observando tu clase. *wine glass*
6. Estamos pidiendo una copa.
7. Están viniendo muchos alumnos.
8. Están viendo el programa ahora.
9. Me está dictando una carta.
10. Estoy trayendo las cosas ahorita.
11. No estás diciendo la verdad ahora.
12. Están consiguiendo las direcciones.

> ATENCIÓN: Estoy leyendo ese libro.
> <u>Lo</u> estoy leyendo.
> Estoy leyéndo<u>lo</u>.

II. SUSTITUYE EL OBJETO DIRECTO.
        Ej: Estoy limpiando <u>mi bicicleta</u>.
              <u>La</u> estoy limpiando.

1. Estamos oyendo el radio.
2. Estoy arreglando mis cosas.
3. Está durmiendo al niño.
4. Estamos sirviendo la cena.
5. Están pidiendo el desayuno.
6. Estoy consiguiendo unos helados.
7. Estamos diciendo un poema.
8. Jorge está comprando flores.
9. ¿Está preguntando la dirección?
10. Estoy terminando el trabajo.

B.   Ej: Están comprando <u>unos helados</u>.
            Están comprándo<u>los</u>.

1. Estoy pidiendo la cena.
2. Están sirviendo la botana.
3. Están preparando una rifa.
4. Está pidiendo tu teléfono.
5. ¿Estás recogiendo los papeles?
6. Están durmiendo al bebé.
7. Estamos observando a esos muchachos.
8. ¿Está usted consiguiendo una secretaria?
9. Estoy terminando la tarea.
10. Están sirviendo el desayuno.

III.   CONTESTA. USA <u>PRONOMBRES DE OBJETO DIRECTO E INDIRECTO.</u>

A.   Ej: ¿A quién le estás llevando los papeles?
            <u>Se los</u> estoy llevando a María.

1. ¿Le estás consiguiendo el boleto a Luis?
2. ¿A quién le estás comprando el regalo?
3. ¿Nos están preparando una sorpresa?
4. ¿Les estás pidiendo sus teléfonos?
5. ¿Te están diciendo la verdad?
6. ¿A quiénes les estás dando la clase?
7. ¿Nos están arreglando la guitarra?
8. ¿Me estás limpiando mi cuarto?
9. ¿Te están enseñando física?
10. ¿A quién le estás escribiendo una carta?

B.   Ej: ¿Te está haciendo un vestido tu mamá?
            Sí, está haciéndo<u>melo</u>.

1. ¿Me estás diciendo la verdad?   estoy diciéndotela
2. ¿Les están lavando el coche?   están lavándoselo
3. ¿A quién le estás pidiendo las copas?   estoy pidiéndoselas a Juan
4. ¿Te están haciendo la tarea?   están haciéndotela
5. ¿Nos están dando programas?   están dándonoslos
6. ¿Me está consiguiendo un boleto.   estoy consiguiéndotelo
7. ¿Te están lavando tus vestidos?   están lavándotelas
8. ¿A quién le estás dictando la carta?   estoy dictándosela a?
9. ¿Nos están sirviendo el desayuno?
10. ¿A quién le estás enseñando las canciones?

Están sirviéndonosla
Estoy enseñándoselas a otros.

177

V. CAMBIA AL NEGATIVO.

Ej: Te estoy diciendo la verdad.
      No te estoy diciendo la verdad.

1. Luisa está sirviendo la botana.
2. Están preguntando las direcciones.
3. Estoy pidiendo una copa de tequila.
4. ¿Estás arreglando el tocadiscos?
5. Estamos sirviendo la cena.
6. Estoy preparando la comida.
7. Ella está durmiendo al niño.
8. Estamos observando las clases.
9. Están vendiendo boletos para una rifa.
10. Luisa está haciendo gimnasia.

Tengo una casita en el campo.

Mi hermanita se llama Luisita.

Desayunamos un vasito de jugo
y un vaso de leche.

La niña quiere mucho a su gatito.

DIMINUTIVOS

19.2

Las terminaciones -ito, -ita, -itos, -itas indican un objeto pequeño.

　　　　Una casita en el campo.

o expresan afecto:

　　　　Mi hermanita tiene tres años.

casa - ita

niño - ito

pastel - ito

VI. CAMBIA COMO EN EL EJEMPLO.

Ej: Ella tiene un <u>reloj</u> de oro.
        Ella tiene un <u>relojito</u> de oro.

1. La niña tiene un <u>perro</u> negro.
2. Queremos una <u>copa</u> de ron.
3. Van a servir una <u>botana</u>.
4. Están leyendo ese <u>libro</u>.
5. Luis trae un <u>regalo</u>.
6. El <u>gato</u> está enfermo.
7. ¡Qué lechuga tan <u>chica</u>
8. Tienen un <u>rancho</u> agrad
9. El bebé está <u>enfermo</u>.
10. ¿Cómo se llama tu <u>hij</u>

CONVERSACIÓN

VII. CONTESTA COMO EN EL EJEMPLO.

Ej:

¿Está durmiendo el gato?
No, no está durmiendo.
Está jugando con la cortina.

1. ¿Están oyendo el radio?

2. ¿Estás arreglando tu cuarto?

3. ¿Están ustedes escribiendo?

4. ¿Está la señora arreglando la cocina?

5. ¿Está borrando el pizarrón?

6. ¿Están ustedes durmiendo?

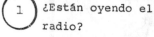

- ¿Qué quieres hacer hoy?
- **No sé**. Estoy aburrido.
  Quiero salir. Hay muchos
  lugares que no conozco.
- Es cierto. ¿Quieres ir al
  mercado o prefieres visitar
  el Museo de Antropología?

- ¿Piensas ver todo el museo
  hoy?
- No, no todo. Sólo el primer
  piso. Prefiero verlo poco a
  poco.
- Sí, es mejor.

- ¿Estás cansado?
- Algo. ¿Por qué?
- Porque cerca de aquí vive
  Verónica. Podemos ir un
  ratito.
- Vamos.

181

¿<u>Piensas*</u> <u>comprar</u> otro tocadiscos?
No, <u>quiero comprar</u> una grabadora.

¿<u>Quiere oír</u> cintas o discos?
<u>Prefiero oír</u> cintas, gracias.

¿<u>Pueden* ayudarme</u> con la máquina?
Sí, claro, con mucho gusto.

¿<u>Necesita</u> usted <u>estudiar</u> mucho?
No, sólo un poco.

¿<u>Sabe hablar</u> francés María Eugenia?
Sí, sabe francés y español.

¿<u>Piensas ir</u> al museo hoy?
Sí, pienso ir hoy en la tarde.

VERBOS AUXILIARES 20.1

> Algunos verbos (querer, pensar)
> se construyen con el infinitivo.
> El primer verbo le agrega una idea
> al segundo: voluntad, intención,
> etc.

Pienso ir mañana.

| pensar ⟶ intención |

Quiero *obtain* conseguir el libro.

| querer ⟶ voluntad |

¿Puedo fumar?

No puedo abrir la botella.

| poder ⟨ permiso / habilidad |

* Verbo irregular.

182

Necesito comprar un cuaderno.

| necesitar ⟶ necesidad |

Elena sabe hablar francés.

| saber ⟶ conocimiento |

Prefiero leerlo en español.

| preferir ⟶ preferencia |

I. CAMBIA COMO EN EL EJEMPLO.

A. (QUERER)

Ej: Mi hermana <u>compra</u> un libro.
Mi hermana <u>quiere comprar</u> un libro.

1. Los muchachos hablan español.
2. Juan pide una copa.
3. Ellas estudian francés.
4. El maestro observa la clase.
5. Enseñamos español.
6. Mi hermano consigue los papeles.
7. ¿Preparas la cena?
8. Elsa presta su tocadiscos. *record-player*
9. El bebé duerme en el jardín
10. Cortamos el vestido hoy.

B. (PENSAR)

Ej: Mañana <u>voy</u> al cine.
Mañana <u>pienso ir</u> al cine.

1. Ellos llegan temprano.
2. Practicamos español en México.
3. Recibo a unos amigos.
4. Hago gimnasia todos los días.
5. Van al campo con sus hijos.
6. Te doy un regalo.
7. Hacemos una fiesta.
8. Elena lleva la botana. *munchies*
9. La niña no dice la verdad.
10. Aprendo español y francés.

C.   (NECESITAR)
    Ej: El maestro <u>observa</u> las clases.
         El maestro <u>necesita observar</u> las clases.

1. Salgo muy temprano.
2. Compran una grabadora.
3. Traigo mi tocadiscos.
4. Oyen las cintas.
5. Visitamos este lugar.

6. Asistimos a clase todos los días
7. Cierran las ventanas del comedor
8. El señor arregla el radio.
9. Arreglamos la recámara. *bedrm*
10. Ellos practican mucho.

D.   (PREFERIR)
    Ej: Verónica <u>visita</u> el museo hoy.
         Verónica <u>prefiere visitar</u> el museo hoy.

1. Suben por la escalera.
2. Vamos a pie.
3. Arreglo mi clóset hoy.
4. Escribimos en español.
5. Te presto dinero.

6. Visitamos el museo.
7. Oímos música peruana.
8. Ellos regresan en bici.
9. David conoce la ciudad.
10. Ellos terminan el trabajo.

E.   (SABER)
    Ej: Mis hijos <u>tocan</u> la guitarra.
         Mis hijos <u>saben tocar</u> la guitarra.

1. Rosa hace pasteles.
2. ¿Tocas la flauta?
3. Escribo en alemán.
4. María corta muy bien.
5. Jugamos tenis.

6. El señor Gómez arregla coches.
7. Sara canta canciones españolas.
8. Los muchachos abren las botellas
9. Mis hermanas hablan español.
10. Jorge toca la guitarra.

F.   (PODER)
    Ej: El señor García <u>ayuda</u> a los muchachos.
         El señor García <u>puede ayudar</u> a los muchachos.

1. Limpio la cocina.
2. Jorge toma mucho jugo.
3. Consigues la dirección.
4. ¿Cortas el vestido?
5. Teresa sirve la botana.

6. Contestamos las cartas.
7. Mi hermano arregla la grabadora.
8. ¿Quién parte el pastel?
9. Mis hijos preparan la cena.
10. Llegamos temprano.

¿Puedes llevar<u>le</u> este paquete a Rosa
Sí, claro, <u>se lo</u> puedo llevar.

¿Necesitas comprar el libro ahora?
Sí, <u>lo</u> necesito comprar ahora.

¿Puedes prestar<u>me</u> diez pesos?
No, no puedo prestár<u>telos</u> porque no <u>los</u> tengo.

¿Prefieren ver a Margarita o llamar<u>la</u>?
Preferimos ver<u>la</u>.

¿Me quieren enseñar sus regalos?
Sí, <u>te los</u> queremos enseñar.

20.2

RECUERDA:

Puedo llevár<u>telo.</u>	Quiero saber<u>lo.</u>
o	o
<u>Te lo</u> puedo llevar.	<u>Lo</u> quiero saber.

II. CAMBIA COMO EN EL EJEMPLO.
A.   Ej: Necesito preguntár<u>telo</u> hoy.
              <u>Te lo</u> necesito preguntar hoy.

1. ¿Quieres prestármelo?   6. Saben prepararlo.

2. Prefiero decírtelo yo.   7. Piensan pedírselo.

3. Pensamos ayudarla.   8. Preferimos saberlo.

4. Pueden conseguírtelo.   9. Quiero tomarlo.

5. Necesitan enseñárselo.   10. Podemos preguntárselo.

B.   Ej: <u>Se lo</u> quiero comprar todo.
              Quiero comprár<u>selo</u> todo.

1. Nos lo necesita enseñar.   6. Me la pueden prestar.

2. Lo saben preparar.   7. Te necesito enseñar.

3. La saben cantar.   8. Se lo piensan preguntar.

4. Te la pensamos dar.   9. Te lo queremos enseñar.

5. Nos la quiere llevar.   10. Se lo preferimos decir.

III. CONTESTA COMO EN EL EJEMPLO. USA PRONOMBRES DE
OBJETO DIRECTO E INDIRECTO.

Ej: ¿Piensas comprarle un regalo a Rosa?
     Sí, pienso comprárselo.

1. ¿Prefieres comprar los jugos allá?
2. ¿Piensa usted llevarle un regalo a María?
3. ¿Quieres enseñarme tu casa nueva?
4. ¿Necesitamos cerrar los libros?
5. ¿Pueden ustedes ayudarme?
6. ¿Sabe usted preparar la botana?
7. ¿Piensas comprarle un helado a Juanito?
8. ¿Necesitas escribirle una carta a tu amiga?
9. ¿Prefiere usted tocar la guitarra?
10. ¿Podemos ayudarte?
11. ¿Sabes cantar esas canciones?
12. ¿Quieren llevarme esas sillas?

¿Conoces bien la ciudad de México?
No, no la conozco muy bien.

¿Saben el teléfono de Alejandro?
Sí, lo sabemos.

¿Conocen a la familia López?
No, no la conocemos.

¿Sabes hablar portugués?
Sí, pero muy mal.

```
┌─────────────────────────────────┐
│  SABER ──────── CONOCER         │    20.3
└─────────────────────────────────┘
```

Se refiere a un conocimiento que se aprende intencionalmente. Este conocimiento se puede demostrar o expresar con palabras.	Se refiere a un conocimiento adquirido sin estudio, sin atención. Se usa generalmente con lugares y personas.
María sabe tocar. Sabemos hablar inglés.	No conocemos París. ¿Conoce a Rosa?

IV. SUSTITUYE.
   Ej: No conozco a tus amigos.
        (la señora López)
        No conozco a la señora López.

1. Conocemos ese lugar muy bien.
   (Francia) (Los Estados Unidos) (la ciudad)
   (el campo) (el mercado) (Venezuela)

2. ¿Sabes hablar portugués bien?
   (tocar el piano) (hacer pasteles) (servir la mesa)
   (arreglar radios) (limpiar vidrios) (cortar vestidos)

3. No conozco a tu hermana Carmen.
   (tu amigo Alejandro) (tus hijos) (tu papá)
   (tus maestros) (tu amigo) (tus vecinos)

4. Las muchachas saben jugar tenis.
   (hablar alemán) (arreglar grabadoras) (preparar la cena)
   (cantar en español) (abrir la botella) (cortar y coser)

V. COMPLETA CON SABER O CONOCER

1. ¿_____ usted el Museo de Antropología?

2. No _____ cantar muy bien.

3. (nosotros) _____ a la familia de Margarita.

4. ¿_____ (tú) Europa? Sólo _____ unos lugares.

5. Luisa _____ cortar y coser.

6. Yo no _____ la dirección de Juan pero _____ su teléfono.

7. Los muchachos _____ arreglar televisiones.

8. ¿_____ usted un restaurant japonés?

9. (nosotros) No _____ comprar en los mercados.

10. ¿Quién _____ a las hijas de Verónica?

¿Tienes hambre?   ¿Tiene prisa Sara?
No, pero tengo sed.   Sí, su clase es a las once.

¿Qué tiene el bebé?   ¿Tienes miedo?
Tiene mucho calor.   Sí, un poco.

¿Qué tienes?   ¿Quién tiene razón?
Tengo frío y sueño.   Yo tengo razón.

(ALGUNOS USOS)

En español se usa el verbo
<u>tener</u> acompañado de los
sustantivos: hambre, sed,
frío, calor, miedo, etc.

Estos sustantivos pueden ir
modificados por un adjetivo de
cantidad:

Tienen poco calor.

Los adjetivos de cantidad se
colocan antes del sustantivo.

OBSERVA:

Tenemos much<u>a</u> sed.

Tienen poc<u>o</u> calor.

PERO:

Tenemos alg<u>o</u> de sed.

Tenemos un poc<u>o</u> de calor.

Las formas <u>algo de</u>,
<u>un poco de</u> son
invariables.

VI.   CONTESTA. USA <u>ALGO DE</u>, <u>UN POCO DE</u>.
      Ej: ¿Tiene prisa Elena?
             Sí, tiene un poco de prisa.

1. ¿Tiene usted hambre?
2. ¿Tienen frío los niños?
3. ¿Tienes mucha prisa?
4. ¿Tiene sueño Carlitos?
5. ¿Tienen miedo tus hijos?
6. ¿Tiene usted sed?
7. ¿Tienen ustedes calor?
8. ¿Tiene hambre el bebé?
9. ¿Tienen frío los muchachos?
10. ¿Tienen ustedes prisa?

VII. DI ALGO SOBRE LA ILUSTRACIÓN. USA <u>POCO</u> O <u>MUCHO</u>.

Ej:

El perro tiene mucho calor.

VIII.   LEE Y CONTESTA LAS PREGUNTAS.

Carmen y Luisa quieren ir a la ciudad hoy. Van a ir al súper
y a las tiendas. Luisa necesita comprar papel para la máquina
y unos lápices. Carmen quiere buscar un libro en la biblioteca.
Lo necesita para hacer un trabajo de antropología. También
quieren llevar el tocadiscos con el señor Ramírez. El tocadiscos
está descompuesto y el señor Ramírez puede arreglarlo. Las
muchachas no quieren ir en camión porque es imposible llevar
el tocadiscos, pero su papá no puede prestarles el coche porque
lo necesita para llevar a los niños al zoológico.

1. ¿Adónde quieren ir las muchachas?
2. ¿Qué necesita comprar Luisa?
3. ¿Qué quiere hacer Carmen?
4. ¿Para que necesita el libro?
5. ¿Adónde van a llevar el tocadiscos?
6. ¿Cómo está el tocadiscos?
7. ¿Puede arreglarlo el señor Ramírez?
8. ¿Quieren ir en camión las muchachas?
9. ¿Por qué?
10. ¿Les puede prestar el coche su papá?
11. ¿Por qué?
12. ¿Para qué lo necesita?

UNIDAD 4

I.   CAMBIA AL INTERROGATIVO. USA QUÉ, QUIÉN, DÓNDE.

   Ej: Van a ir a la tienda.
        ¿Adónde van a ir?

1. El maestro viene a observar las clases.
2. Trabajan con el doctor Gómez.
3. Corto el vestido para mi hija.
4. El poncho es de lana.
5. Vamos a ir en trolebús.
6. Vivimos por el sur de la ciudad.
7. Comen porque tienen hambre.
8. Van a estudiar con Rosa.
9. Vivo en la casa de Teresa.
10. Le escriben a su hija.
11. Venimos del mercado.
12. El líquido sirve para los vidrios.

II.   COMPLETA CON SER O ESTAR.

1. ¿_____ usted colombiano? No, _____ venezolano.

2. ¿En dónde _____ la universidad?

3. _____ en el sur de la ciudad.

4. ¿_____ usted enojado? No, _____ un poco cansado.

5. ¿_____ doctor el señor Gómez? No, no _____, _____ maestro.

6. Mi hermano no _____ casado.

7. Nosotros _____ estudiantes de portugués.

8. ¿_____ el Museo de Antropología al norte de la ciudad?

9. ¿_____ usted ocupado ahorita?

10. ¿De dónde _____ Rosa? _____ peruana.

III. CONTESTA. USA <u>PRONOMBRES DE OBJETO DIRECTO E INDIRECTO</u>.

Ej: ¿<u>Me</u> vas a llevar <u>el paquete</u> temprano?
Sí, voy a llevár<u>telo</u> temprano.

o

Sí, <u>te lo</u> voy a llevar temprano.

1. ¿Me puedes prestar tu blusa?
2. ¿Te van a comprar un coche?
3. ¿Piensas enseñarme tus libros?
4. ¿Le vas a servir la cena?
5. ¿Nos puede usted lavar estas cosas?
6. ¿Me quiere prestar el dinero?
7. ¿Les vas a conseguir las cintas?
8. ¿Piensa darle el helado al niño?
9. ¿Podemos servirles la comida?
10. ¿Te puedo arreglar la grabadora?
11. ¿Me vas a conseguir la dirección?
12. ¿Nos puede dictar la carta?

IV. DI ALGO SOBRE LA ILUSTRACIÓN. USA <u>ESTAR + GERUNDIO</u>.

V.   CONTESTA. USA PRONOMBRES DE OBJETO DIRECTO E INDIRECTO.
     Ej: ¿Está sirviéndote la cena Elena?
         Sí, está sirviéndomela.   o
         No, no me la está sirviendo.

1. ¿Estás ayudando a tu mamá?
2. ¿Están estudiando español?
3. ¿Me estás diciendo la verdad?
4. ¿Te están preguntando la dirección?
5. ¿Están sirviendo la botana?
6. ¿Les está usted pidiendo el teléfono?
7. ¿Estamos oyendo el radio?
8. ¿No están preparando la cena?
9. ¿Te están sirviendo algo?
10. ¿Le estás haciendo un vestido?
11. ¿Estás durmiendo al niño?
12. ¿Me estás ayudando?

VI. CAMBIA COMO EN EL EJEMPLO.
     USA UN INFINITIVO COMO OBJETO DIRECTO.
     Ej: Mi hijo necesita unos lápices.
         Mi hijo necesita comprar unos lápices.

1. Sabemos inglés y español.
2. Ellos prefieren un jugo.
3. Necesitamos esos libros.
4. Ella quiere las cintas.
5. No sé canciones en francés.
6. Preferimos la playa.
7. No necesito las direcciones.
8. Queremos unos sarapes.
9. Sara sabe alemán.
10. Ellas necesitan el vestido.
11. Prefiero la botana.
12. Elena quiere un pastel.

VII. CONTESTA. USA PRONOMBRES DE OBJETO DIRECTO E INDIRECTO.
     Ej: ¿Quieres llevarle el disco a Martha?
         Sí, quiero llevárselo.   o
         No, no se lo quiero llevar.

1. ¿Puede usted buscarme el papel?
2. ¿Quieres traerme una silla?
3. ¿Necesitamos llevarte el coche?
4. ¿Piensa usted decirme la verdad?
5. ¿Saben cantar esas canciones?
6. ¿Prefieren llevarle la carta?
7. ¿Pueden conseguirme el libro?
8. ¿Quiere usted leerme el poema?
9. ¿Necesitan comprarle el poncho?
10. ¿Prefieres escribirle una carta?

VIII. COMPLETA CON <u>SABER</u> O <u>CONOCER</u>.

1. Yo no _____ la ciudad muy bien.
2. Ellos _____ hablar portugués y alemán.
3. Nosotros no _____ a Teresa.
4. ¿_____ ustedes un restaurant bueno?
5. ¿_____ la verdad?
6. Ella _____ cantar muy bien.
7. Jorge y Carlos _____ un poco de alemán.
8. ¿_____ usted Bolivia y Argentina?
9. Queremos _____ a tus hijos.
10. Ella necesita _____ algo de español.

IX. DI ALGO SOBRE LA ILUSTRACIÓN. USA <u>PRONOMBRES DE OBJETO INDIRECTO</u>.

Ej:

Los muchachos están preguntándole la dirección al señor.

– ¿Adónde vas?
– Al súper.
– No pareces muy contenta.
– No, no estoy contenta.
– ¿Por qué?
– Mira, tengo que hacer miles de
  cosas, y, de pronto, mi mamá dice
  que tengo que ir al súper.
– ¿Hay que comprar muchas cosas?
– Mira la lista. Hay miles de cosas
  y debo encontrarlas todas.
– ¡Oye! Tengo una idea.
– ¿De veras?
– Claro, podemos ir tres o cuatro,
  dividimos la lista y terminamos
  en un segundo.
– Sí, claro, y después se van a mi
  casa a tomar café y a oír discos.
  No, gracias. Tengo que hacer
  miles de cosas y no necesito
  ayuda.
– Oye, estás muy desagradable hoy.
– Así soy.
– No, no eres. Hoy estás horrible.

¿Qué debo hacer?
Debes estudiar un poco todos los días.

¿Tienes que salir?
Sí, tengo que ir a la biblioteca.

¿Hay que estudiar mucho?
No, no mucho. Hay que estudiar un rato.

¿Debemos escribir estos diálogos?
No, sólo debemos leerlos.

¿Quiénes tienen que llegar temprano?
Elsa y Pedro tienen que llegar a las nueve.

¿Qué hay que hacer?
Hay que limpiar y arreglar la casa.

21.1

FRASES VERBALES

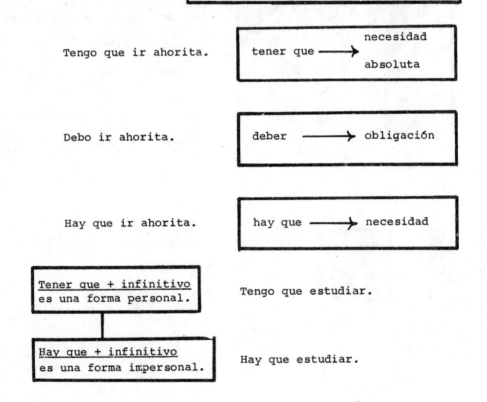

Tengo que ir ahorita.

| tener que ⟶ | necesidad absoluta |

Debo ir ahorita.

| deber ⟶ obligación |

Hay que ir ahorita.

| hay que ⟶ necesidad |

Tener que + infinitivo
es una forma personal.

Tengo que estudiar.

Hay que + infinitivo
es una forma impersonal.

Hay que estudiar.

I. CAMBIA COMO EN EL EJEMPLO.
A. Ej: Margarita <u>va</u> al súper.
Margarita <u>tiene que ir</u> al súper.
(TENER QUE)

1. Preparo mis clases.
2. El niño duerme un rato.
3. Observamos a los alumnos.
4. Dictan unas cartas.
5. Le pido la lista.
6. Mis hijos estudian mucho.
7. Te hablo de mi país.
8. Regresamos pronto.
9. Vivo cerca de la universidad.
10. Escriben su trabajo en máquina.

B. Ej: <u>Voy a</u> visitar a mi amiga.
<u>Debo ir</u> a visitar a mi amiga.
(DEBER)

1. Conocemos bien el centro.
2. Ellas dividen el dinero.
3. Marcela sirve la cena.
4. Visitamos el Museo de Historia.
5. Mis hermanos vienen a las tres.
6. Carlos y Luis arreglan la grabadora.
7. Tu papá te presta el dinero.
8. La señora López corta las blusas.
9. Las niñas van al súper.
10. Su esposa lo ayuda.

II. CAMBIA COMO EN EL EJEMPLO.
Ej: <u>Tienen</u> que llegar temprano.
<u>Hay que</u> llegar temprano.
(HAY QUE)

1. Tengo que salir ahorita.
2. Tenemos que ir al súper.
3. Ustedes tienen que practicar.
4. Tiene que conseguir los boletos.
5. Tenemos que preguntar.
6. Tienen que recoger las cosas.
7. Tengo que preparar la clase.
8. Tenemos que ir un ratito.
9. Tienes que buscarlo.
10. Tienen que conocer el centro.

III. CONTESTA. USA <u>PRONOMBRES DE OBJETO DIRECTO E INDIRECTO</u>
Ej: ¿Tienes que llevar<u>le</u> <u>las cintas</u>?
      Sí, tengo que llevár<u>selas</u>.

1. ¿Tenemos que comprarle la medicina?

2. ¿Tienen que preguntarle la dirección?

3. ¿Tienes que contestarle las cartas?

4. ¿Tiene que cortarte el vestido?

5. ¿Tienen que conseguirnos los boletos?

6. ¿Tienes que prepararles las copas?

7. ¿Tengo que decirte la verdad?

8. ¿Tenemos que pedirle los papeles?

9. ¿Tienen que llevarle la bicicleta?

10. ¿Tienes que servirle el desayuno?

Juan no tiene ganas de venir.

Mis hermanos tienen tiempo de estudiar.

Elena tiene miedo de contestar.

¿Tienen deseos de salir?

21.2

TENER

(OTROS USOS)

Elsa tiene	ganas		salir.
	deseos	<u>de</u>	comer.
	miedo		abrir.
	necesidad		llegar.

IV. CONTESTA.
  Ej: ¿Tienes miedo de abrir?
      Sí, sí tengo.

1. ¿Tienen deseos de comer?
2. ¿Tienes ganas de salir?
3. ¿Tiene miedo de saber la verdad?
4. ¿Tienen necesidad de estudiar?
5. ¿Tiene usted ganas de ir?
6. ¿Tienes miedo de llegar tarde?
7. ¿Tiene necesidad de llamar ahora?
8. ¿Tienen deseos de regresar?
9. ¿Tienes ganas de dormir?
10. ¿Tienen necesidad de ir allá?

              Juan va a la universidad.
¿Crees que Juan va a la universidad?

              La niña quiere un helado.
Supongo* que la niña quiere un helado.

              Va a llover hoy.
Pensamos que va a llover hoy.

              Luisa tiene ganas de ir.
El dice que Luisa tiene ganas de ir.

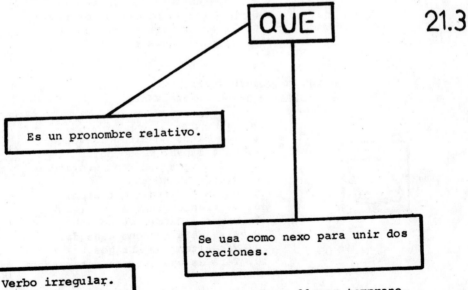

QUE   21.3

Es un pronombre relativo.

Se usa como nexo para unir dos
oraciones.

* Verbo irregular.

Creo que voy a llegar temprano.

199

V.   CAMBIA COMO EN EL EJEMPLO.
A.   Ej: La niña tiene hambre.
          <u>Supongo que</u> la niña tiene hambre.
          (SUPONER)

1. Carlitos tiene ganas de dormir.
2. Quieren ir a la playa.
3. Tienen un hambre horrible.
4. Están haciendo gimnasia.
5. Vamos a regresar temprano.
6. Puedes leer en francés.
7. Los niños duermen muy bien.
8. Están practicando español.
9. No tienes frío.
10. Tienen deseos de llegar hoy.

B.   Ej: Va a llover en la tarde.
          <u>Piensan que</u> va a llover en la tarde.
          (PENSAR)

1. Debemos ir al súper.
2. Estás haciendo mucho ruido.
3. Van a llevar los helados.
4. Tienen que dar una conferencia.
5. Este líquido sirve para los pisos.
6. Pueden conseguir los boletos.
7. La grabadora no sirve.
8. Hay que ayudarles a los niños.
9. El señor García está en su oficina.
10. El perro está enfermo.

C.   Ej: Jorge no quiere venir.
          <u>Creo que</u> Jorge no quiere venir.
          (CREER)

1. Los niños no dicen la verdad.
2. Va a llover mucho hoy.
3. Mis amigos están preguntando.
4. Tienen mucha sed.
5. No van a llegar a tiempo.
6. No tienen ganas de venir.
7. Vamos a dormir mucho.
8. Elsa está un poco cansada.
9. Necesitan sus abrigos.
10. Tere es una persona interesante.

D. Ej: Hay que encontrar las plumas.
　　　　Él dice que hay que encontrar las plumas.
　　　　(DECIR)

1. Necesitamos estudiar mucho.
2. No va a venir el maestro.
3. Tienen que salir temprano.
4. Martha canta muy bien.
5. Van a cerrar las tiendas.
6. No conoce a tu esposa.
7. Deben practicar español.
8. Estás buscando los papeles.
9. Nunca duerme en el día.
10. No oye el ruido.

VI. COMPLETA.
　　Ej: Mi hermana dice que <u>hay que llegar temprano.</u>

1. Creo que...
2. Pensamos que...
3. Supone que...
4. Dice que...
5. Juan piensa que...
6. Ellas dicen que...
7. Mi amiga supone que...
8. Creemos que...
9. Mis hijos piensan que...
10. Jorge cree que...

VII. CONTESTA. USA <u>SUPONER</u>, <u>CREER</u>, <u>PENSAR</u>, <u>DECIR</u>.
　　Ej: ¿Tiene prisa el doctor?
　　　　Sí, <u>creo que</u> tiene prisa.

1. ¿Llueve mucho en México?
2. ¿Son interesantes esas clases?
3. ¿Está durmiendo el niño?
4. ¿Van a venir los Gómez?
5. ¿Necesitan ellos dinero?
6. ¿Tienes que estudiar mucho?
7. ¿Qué buscan los niños?
8. ¿Tienen ellos ganas de ir?
9. ¿Hay que llegar temprano?
10. ¿Quiere un poncho Jorge?

VIII. CONTESTA. USA PRONOMBRES SI ES POSIBLE.

1. ¿Hay que llegar temprano a clase?

2. ¿Tienes que comprar el libro hoy?

3. ¿Hay que lavar los ceniceros?

4. ¿Puedes prestarme veinte pesos?

5. ¿Deben ustedes ir al centro ahorita?

6. ¿Quieres ayudarnos?

7. ¿Puede usted llevarme en su coche?

8. ¿Necesitas encontrar los papeles?

9. ¿Hay que escribir mucho en esta clase?

10. ¿Tienen que hacer la lista del súper?

LECCIÓN 22

- Hace calor, ¿verdad?
- Sí, hace mucho calor.
- ¿Siempre hace calor en la ciudad de México?
- No, no siempre. Sólo en abril y mayo.
- ¿Cuándo hace frío?
- En noviembre, diciembre, enero, febrero y marzo.

- ¡Qué día tan bonito! Hay sol.
- Sí, está muy bonito pero creo que va a llover en la tarde.
- ¿Llueve mucho aquí?
- Sí, mucho. Generalmente llueve en junio, julio, agosto y septiembre.

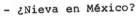

- ¿Nieva en México?
- No, casi nunca nieva en la ciudad, pero a veces nieva cerca.
- ¿Cuáles son los meses más bonitos?
- Pienso que abril, mayo y octubre. Especialmente octubre porque no hay viento.

Enero no es un mes muy agradable.
Hace mucho frío pero no nieva*.

Febrero y marzo tampoco son agradables.
Hace frío y hay viento.

Abril y mayo son agradables.
Hace calor y buen tiempo.

En junio y julio llueve mucho.
Casi siempre llueve en las tardes.

En agosto y septiembre también llueve.
Octubre es muy agradable.

Noviembre y diciembre son meses fríos.
Hace frío y hay viento. Hace mal tiempo.

22.1

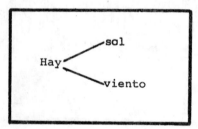

VERBOS IMPERSONALES

Los verbos que se refieren a
fenómenos naturales sólo se
conjugan en la tercera persona
del singular.

Llueve.
Está lloviendo.
Nieva.
Está nevando.

* Verbo irregular.

I. CAMBIA COMO EN EL EJEMPLO.

   Ej: Llueve mucho en agosto.

        (julio)

        Llueve mucho en julio.

   A. Generalmente llueve en septiembre.

       (octubre) (marzo) (junio)

       (noviembre) (julio) (agosto)

   B. Nunca nieva en abril.

       (enero) (septiembre) (febrero)

       (diciembre) (mayo) (marzo)

II. DI ALGO SOBRE LA ILUSTRACIÓN.

ESTUDIA:

100 - cien	200 - doscientos
101 - ciento uno	201 - doscientos uno
102 - ciento dos	202 - doscientos dos
103 - ciento tres	203 - doscientos tres
110 - ciento diez	300 - trescientos
111 - ciento once	400 - cuatrocientos
112 - ciento doce	500 - quinientos
120 - ciento veinte	600 - seiscientos
121 - ciento veintiuno	700 - setecientos
130 - ciento treinta	800 - ochocientos
140 - ciento cuarenta	900 - novecientos
150 - ciento cincuenta	1000 - mil
160 - ciento sesenta	1001 - mil uno
170 - ciento setenta	1100 - mil cien
180 - ciento ochenta	2000 - dos mil
190 - ciento noventa	3000 - tres mil
	100000 - cien mil

1492
Mil cuatrocientos noventa y dos.
1709
Mil setecientos nueve.
1550
Mil quinientos cincuenta.
1325
Mil trescientos veinticinco.
1977
Mil novecientos setenta y siete.

OBSERVA:

200 dos
300 tres
400 cuatro ⟩cientos
600 seis
800 ocho

500 - quinientos
700 - setecientos
900 - novecientos

III. LEE

1. (1938)   4. (1241)   7. (1006)   10. (429)

2. (4209)   5. (552)   8. (5120)   11. (1978)

3. (795)   6. (2161)   9. (3412)   12. (2516)

¿Qué fecha es hoy?*

23 de diciembre de 1976.

¿Cuándo es tu cumpleaños?

El 4 de agosto.

¿En qué año estamos?

En 1979.

¿En qué mes estamos?

En abril.

¿A cómo estamos?*

A primero** de enero de 1977.

IV.   CONTESTA.

A.   Ej: ¿A cómo estamos?
           (17-I-1956)
           A diecisiete de enero de mil novecientos cincuenta y seis.

1. (31-X-1964)	7. (27-V-1974)
2. (12-III-1975)	8. (13-IX-1970)
3. (4-VI-1959)	9. (15-I-1978)
4. (23-XII-1977)	10. (9-VII-1965)
5. (1o.-VIII-1963)	11. (2-XII-1971)
6. (6-II-1976)	12. (1o.-IV-1973)

* Las dos formas se usan
para preguntar la fecha.

** Para decir la fecha se usan
los números cardinales,
excepto 1o. (primero).

B. ¿Qué fecha es hoy?

1. (4-IV-1977)   6. (14-III-1978)
2. (12-VII-1975)   7. (2-IX-1973)
3. (21-XI-1976)   8. (25-I-1975)
4. (28-II-1977)   9. (1o. XII-1978)
5. (1o.-X-1976)   10. (18-VI-1977)

V. CONTESTA.

1. ¿Cuándo es tu cumpleaños?
2. ¿Está lloviendo ahorita?
3. ¿En qué mes estamos?
4. ¿Está nevando ahora?
5. ¿En qué año estamos?
6. ¿Hay mucho sol hoy?
7. ¿Hace buen tiempo?

Margarita tampoco habla español.
Margarita no habla español tampoco.

Nunca veo la televisión en la mañana.
No veo nunca la televisión en la mañana.

En México casi nunca nieva.
En México no nieva casi nunca.

22.

NEGATIVOS

OBSERVA:

Necesito alguno.
Necesito algún libro.
No tengo ninguno.
No tengo ningún libro.

Las formas nunca, nada, tampoco, ninguno, nadie, se colocan antes o después del verbo:

Nunca vienen.
No vienen nunca.

Cuando se colocan después, se antepone al verbo la partícula no.

VI. CAMBIA COMO EN EL EJEMPLO.

A. Ej: Los muchachos tampoco van.
Los muchachos no van tampoco.

1. Nadie va al mercado hoy.
2. Casi nunca practico español.
3. Yo tampoco puedo salir.
4. Nunca vamos a la playa.
5. Nadie quiere salir ahorita.
6. El maestro tampoco lo tiene.
7. Usted nunca estudia.
8. Nadie quiere buscar los papeles.
9. Casi nunca llegan tarde.
10. Tampoco ellos van a la fiesta.
11. Nunca podemos ir al cine.
12. Elena casi nunca toca el piano.

B. Ej: María no tiene hambre nunca.
María nunca tiene hambre.

1. No podemos ir tampoco.
2. No va a venir nadie.
3. Carlos no estudia casi nunca.
4. No llueve nunca allá.
5. Ellos no necesitan el libro tampoco.
6. No oímos el radio nunca.
7. No voy a las tiendas casi nunca.
8. No tiene hambre nadie.
9. No piensan venir nunca.
10. Rosa no quiere venir tampoco.
11. Aquí no nieva casi nunca.
12. No puede comprarlo nadie.

¿Ves algo?
No, nada.

¿Tienes algo de frío?
No, no tengo nada de frío.

¿Tienen poco tiempo?
No, tenemos mucho.

¿Hay algún estudiante chino aquí?
No, no hay ninguno.

¿Quién pidió unos lápices?
Yo no pedí ningunos.

¿Hay alguien en la oficina?
No, no hay nadie.

```
                        OPUESTOS
      algo                   nada
     (algo de)              (nada de)

      mucho                  poco
        (Se refieren a cosas)
- - - - - - - - - - - - - - - - - - - - - -
      alguno                ninguno
        uno
        (Personas o cosas)
- - - - - - - - - - - - - - - - - - - - - -
      alguien               nadie
            (Personas)
```

OBSERVA:

> Necesito <u>alguno</u>.
> Necesito <u>algún</u> libro.

No tengo <u>ninguno</u>.
No tengo <u>ningún</u> lápiz.

En el masculino singular se usa <u>algún</u> o ningún antes del sustantivo.

Pero:

No tengo <u>ninguna</u>.
No tengo <u>ninguna</u> amiga.

VII. CAMBIA AL MASCULINO.

    Ej: No tengo <u>ninguna</u> hij<u>a</u>.
        No tengo <u>ningún</u> hij<u>o</u>.

1. No conocemos a ninguna actriz.
2. No necesito ninguna pluma.
3. No pidieron ninguna taza.
4. No llamaron a ninguna alumna.
5. Luis no encuentra ninguna bolsa.
6. No tengo ninguna amiga.
7. No consiguieron ninguna foto.
8. No te presté ninguna blusa.

```
┌─────────────────────────────────────────────────────────┐
│  ATENCIÓN:                                              │
│                                                          │
│  un poco de                                             │
│  algo de    +  sustantivo  ──────▶ cantidad            │
│  nada de                                                │
│                                                          │
│              Sé algo de física.                         │
│              No tengo nada de hambre.                   │
│              Tiene un poco de prisa.                    │
└─────────────────────────────────────────────────────────┘
```

VIII. CAMBIA AL NEGATIVO.
        Ej: Sé algo de francés.
             No sé nada de francés.

1. Estudiamos un poco de alemán.
2. Ella habla algo de portugués.
3. Tenemos un poco de prisa.
4. El bebé tiene algo de hambre.
5. Saben algo de química.
6. Carmen come un poco de fruta.
7. Tienen algo de prisa.
8. Necesito un poco de dinero.

IX.   CAMBIA AL AFIRMATIVO.
        Ej: No tengo nada de dinero.
             Tengo algo de dinero.
                (un poco de)

1. No saben nada de portugués.
2. No tienen nada de sed.
3. No practican nada de francés.
4. ¿No tienes nada de dinero?
5. No tenemos nada de hambre.
6. No sabe nada de literatura.
7. No necesitamos nada de dinero.
8. No tienen nada de frío.

X.   CAMBIA AL NEGATIVO.
        Ej: Necesitamos algunos papeles.
             No necesitamos ningunos papeles.

1. Veo a alguien.
2. Van a comprar algunos.
3. ¿Quieres algo?
4. Viene alguien.
5. Quiero algunos libros.
6. ¿Necesita a alguien?
7. Estudio algunas materias.
8. Sabemos algo.

XI.   CAMBIA AL AFIRMATIVO.
       Ej: No vienen <u>ningunos</u> alumnos hoy.
            Vienen <u>algunos</u> alumnos hoy.

            1. No estamos esperando a nadie.
            2. Elsa no necesita nada.
            3. No tienen ningún libro de arte.
            4. No pregunta tu dirección nadie.
            5. El niño no quiere nada.
            6. ¿No tiene dinero ninguno?
            7. No viehe nadie.
            8. No queremos nada.

XII.   CONTESTA. USA <u>POCO</u> O <u>MUCHO</u>.
       Ej: ¿Hace poco frío?
            No, hace mucho.

            1. ¿Tienes muchas amigas?
            2. ¿Estudian ustedes poco?
            3. ¿Hay mucho sol?
            4. ¿Hace mucho calor?
            5. ¿Tienes pocas ganas de ir?
            6. ¿Hay poco viento?
            7. ¿Tienes mucho frío?
            3. ¿Tiene usted poco tiempo?

CONVERSACIÓN

XIII. DI ALGO SOBRE LA ILUSTRACIÓN.

- ¿Es muy cara la comida aquí, señora?
- Sí, es bastante cara.
- ¿También es cara la fruta?
- Pues, mira, yo creo que proporcionalmente no es tan cara, en especial la fruta de la estación. Por ejemplo, en invierno, la naranja, la toronja y la papaya son baratas.
- ¿Nunca compra usted fruta en lata?
- No con mucha frecuencia. Casi siempre hay fruta fresca.
- ¿Qué frutas son baratas en primavera?
- Bueno, el mango, el durazno, el aguacate, el plátano,...
  ¿Es barata la fruta en tu país?
- No, no es nada barata. Además, en algunos estados es difícil conseguir fruta y verdura frescas todo el año. Todo es bastante diferente. Por ejemplo, las flores. Cuando le escribo a mi mamá y le cuento que ustedes compran flores dos veces por semana, no lo cree.
- ¿De veras? ¿Son tan caras las flores allá?
- Huy, sí. Una rosa cuesta hasta un dólar.
- ¡Qué barbaridad! Aquí, en el mercado, puedes comprar una docena de rosas por diez pesos, esto es, aproximadamente, medio dólar. Además, hay otras flores más baratas.

¿Te cuenta* algo interesante en la carta?
Sí, me cuenta muchas cosas.

¿Recuerdan* la dirección de Luis?
No, no la recordamos.

¿Pierdes* cuando juegas boliche?
Sí, casi siempre pierdo.

¿Devuelves* los libros a tiempo?
Sí, generalmente los devuelvo a tiempo.

¿Cuándo vuelven* tus primos?
Vuelven el próximo otoño.

¿Vuela* bien tu avioncito?
No, no vuela muy bien.

¿A qué hora empieza* la función?
Empieza a las nueve en punto.

¿Quién enciende* las luces** del edificio?
Las enciende el encargado.

¿Cuesta* mucho la verdura en tu país?
Sí, cuesta mucho; en especial en el invierno.

¿Resuelves* los ejercicios fácilmente?
Sí, los resuelvo fácilmente.

* Verbo irregular

** la luz - las luces

VERBOS IRREGULARES

(DIPTONGACIÓN)

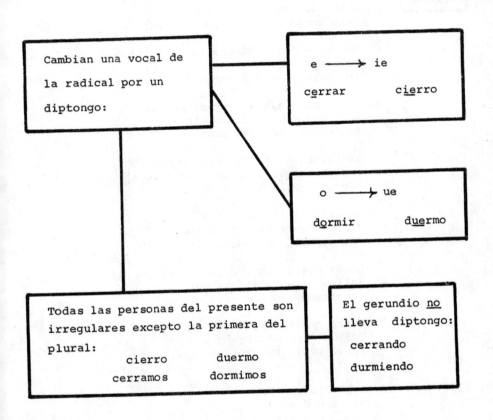

Cambian una vocal de la radical por un diptongo:

e ⟶ ie

cerrar   cierro

o ⟶ ue

dormir   duermo

Todas las personas del presente son irregulares excepto la primera del plural:

cierro	duermo
cerramos	dormimos

El gerundio no lleva diptongo:
cerrando
durmiendo

I. SUSTITUYE.

Ej: Ellas quieren jugo de toronja.
      (Carlos)
      Carlos quiere jugo de toronja.

A. Margarita vuelve el próximo verano.
   (nosotros) (usted) (mis primas)
   (el encargado) (yo) (la señora)

B. La niña enciende la luz de la sala.
   (tú) (los muchachos) (Teresa)
   (mis amigas) (nosotros) (usted)

C. No recuerdo el número de tu teléfono.
   (nosotros) (mi hermana) (ellos)
   (tu primo) (los encargados) (el doctor)

D. Ellas no vuelan frecuentemente.
   (yo) (nosotros) (mi vecino)
   (ustedes) (tú) (mi primo)

E. Te devuelvo el dinero el lunes.
   (nosotros) (ella) (los encargados)
   (Jorge) (ellos) (Teresa)

F. Empiezan a trabajar a las ocho.
   (yo) (nosotros) (mis primos)
   (mi esposa) (ustedes) (tu hijo)

G. Luisa pierde cuando juega boliche. *bowling*
   (ellos) (yo) (mis hijos)
   (nosotros) (usted) (el doctor)

H. Usted cuenta el dinero aquí.
   (ellos) (yo) (Jorge y Luis)
   (nosotros) (tú) (mis amigos)

II. CAMBIA AL PLURAL.

Ej: Quiero ese disco.
     Queremos ese disco.

1. Prefiero un poco de verdura.
2. Vuelvo la primavera próxima.
3. Duermo ocho horas.
4. Te lo devuelvo mañana.
5. Vuelo el avioncito.
6. No encuentro al encargado.

7. Quiero estar aquí en otoño.
8. Enciendo la luz del edificio.
9. No resuelvo el ejercicio.
10. Enciendo la chimenea en invie
11. Pierdo dinero frecuentemente.
12. Empiezo mi trabajo a las ocho

III. CAMBIA AL SINGULAR.
   Ej: Resolvemos el ejercicio.
        <u>Resuelvo</u> el ejercicio.

    1. Podemos hablar español.
    2. Contamos los lápices.
    3. No recordamos tu dirección.
    4. Pensamos llegar temprano.
    5. Cerramos las ventanas a veces.
    6. Devolvemos los libros a tiempo.
    7. Recordamos miles de cosas.
    8. Volvemos en un rato.
    9. Lo resolvemos en un segundo.
   10. Encontramos unas latas muy buenas.
   11. No empezamos temprano.
   12. Nunca dormimos bastante.

IV. CAMBIA AL PRESENTE.
   Ej: La señora <u>va a encender</u> la luz.
        La señora <u>enciende</u> la luz.

    1. El encargado va a cerrar la puerta.
    2. Mi prima va a volver el próximo verano.
    3. No te voy a devolver tu pluma.
    4. Vamos a encender las luces.
    5. Voy a querer un jugo de toronja.
    6. ¿Van a cerrar la tienda?
    7. Luisa va a recordar la canción.
    8. Ellos van a empezar en el otoño.
    9. Voy a perder en el boliche.
   10. Vamos a volar el avioncito.
   11. Van a pensar en su problema.
   12. El doctor va a contar el dinero.

V. CAMBIA COMO EN EL EJEMPLO. USA <u>ESTAR + GERUNDIO</u>.
   Ej: <u>Llueve</u> mucho aquí.
        <u>Está lloviendo</u> mucho aquí.

    1. Empieza la función.
    2. Resolvemos el problema.
    3. Encienden las luces.
    4. Devuelves las cartas.
    5. Cerramos las puertas.
    6. No nieva ahora.
    7. El bebé duerme.
    8. Luisa cuenta las naranjas.
    9. Pierdo en el boliche.
   10. Pensamos comprarlo.
   11. Llueve un poco.
   12. Ella resuelve los ejercicios.

El señor y la señora franceses.

La ciruela y el durazno sabrosos.

La revista y el libro interesantes.

La piña y la sandía grandes.

El empleado y la secretaria flojos.

El limón y la pera frescos.

23.2

GÉNERO y NÚMERO

ATENCIÓN:

El adjetivo se usa en plural cuando
modifica a dos o más sustantivos:

El perro y el gato <u>contentos</u>.

Cuando los sustantivos son de
diferente género, el adjetivo se
usa en masculino:

La niña y el niño <u>limpios</u>.

I. CAMBIA COMO EN EL EJEMPLO.

    Ej: La pera buen<u>a</u> está en la mesa.
       (el mango)
      La pera y el mango buen<u>os</u> están en la mesa.

   1. El doctor alemán está en la oficina. (la enfermera)
   2. El edificio nuevo está en el centro. (la casa)
   3. La leche fría está en la cocina. (el jugo)
   4. La papaya fresca está allá. (la sandía)
   5. El sarape mexicano es muy bonito. (el poncho)
   6. El árbol sintético está muy feo. (la planta)
   7. El súper limpio es agradable. (la tienda)
   8. El muchacho chino es estudiante. (la muchacha)
   9. La pluma roja es de Juan. (el lápiz)
  10. La revista americana es interesante. (el periódico)

   - ¿Cuánto cuesta el kilo de fresas?
    Cuesta ocho cincuenta*. ($8.50)

   - ¿Cuánto cuesta la docena de margaritas?
    Cuesta tres ochenta. ($3.80)

   - ¿Cuánto cuestan los limones?
    Cuestan treinta centavos cada uno. (30 ¢ c/u)

   - ¿Cuánto cuestan las tortillas?
    Cuestan cuatro pesos el kilo. ($4.00 Kg.)

   - ¿Cuánto cuesta la tela?
    Cuesta noventa pesos el metro. ($90.00 mt.)

   - ¿Cuánto cuestan los camiones?
    Cuestan uno cincuenta. ($1.50)

¿Cuánto cuesta un durazno?

¿Cuánto cuestan los duraznos?

---

* ocho pesos con cincuenta centavos.

CONVERSACIÓN

RECUERDA:

la docena
el kilo
cada uno
cada una

VIII. CONTESTA LAS PREGUNTAS.

1. ¿Cuánto cuestan las margaritas?
2. ¿Cuánto cuestan las fresas?
3. ¿Cuánto cuestan las piñas?
4. ¿Cuánto cuestan las rosas?
5. ¿Cuánto cuestan las sandías?
6. ¿Cuánto cuestan los plátanos?
7. ¿Cuánto cuestan las naranjas?
8. ¿Cuánto cuestan los mangos?
9. ¿Cuánto cuestan los duraznos?
10. ¿Cuánto cuestan los aguacates?

- Tengo comezón en la mano.
- Quiere decir que recibirás una sorpresa.
- ¿De veras? ¿Y cuando tengo comezón en la espalda?
- ¡Uff! qué pesado eres.

- ¡Elena! ¡Oye la sorpresa! La semana próxima llegará mi hermana Bárbara.
- ¡Qué gusto! ¿Cuánto tiempo estará aquí?
- Dos semanas.
- ¿Con quién viene?
- Con su amiga Ruth.

- Hay que llevar a Bárbara y a Ruth a muchas partes.
- Sí, claro. Hay que llevarlas.
- Vamos a planearlo todo con cuidado. Hay tantas cosas interesantes...
- Creo que deben ver primero la ciudad y después lo demás.

Mis primas llegarán en el verano.
Margarita apagará las luces.
Compraremos un kilo de fresas.

Te devolveré el libro en la noche.
Creo que no lloverá esta semana.
Resolveremos los ejercicios con cuidado.

Dividirán el dinero entre todos.
Viviré un año en Inglaterra.
Recibirán sus papeles mañana.

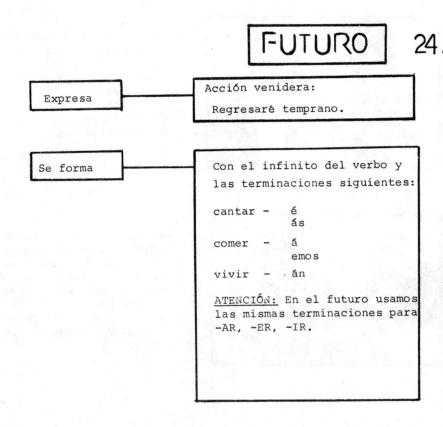

| FUTURO | 24.1 |

Expresa	Acción venidera:
	Regresaré temprano.

Se forma	Con el infinito del verbo y las terminaciones siguientes:

cantar   -   é
             ás

comer   -   á
             emos

vivir   -   .án

ATENCIÓN: En el futuro usamos las mismas terminaciones para -AR, -ER, -IR.

RECUERDA:

El futuro se expresa también
con la forma IR A + INFINITIVO:

Voy a regresar a las nueve.

y con el presente:

Regreso a las nueve.

La forma regresaré,
cantaré tiene un
matiz de voluntad,
firmeza, decisión,
frente a, voy a
regresar, voy a
cantar que expresa
la intención de
realizar una acción
en el futuro.

I. SUSTITUYE.

Ej: Cortaremos un vestido.
     (ellas)
     Cortarán un vestido.

A. Te dictarán unas oraciones.
   (yo) (el maestro) (nosotros)
   (ellas) (tu prima) (ellos)

B. La muchacha barrerá la calle.
   (tú) (mis hermanas) (el encargado)
   (los empleados) (yo) (nosotros)

C. Conseguiremos unos duraznos limpios.
   (Elena) (yo) (el empleado)
   (tú) (mi hija) (ellos)

D. Apagarán las luces del edificio.
(yo) (mis amigos) (el encargado)
(nosotros) (ustedes) (el señor)

E. Aprenderán el futuro.
(yo) (mis amigos) (nosotros)
(ellos) (la niña) (ustedes)

F. No lo escribirá en inglés.
(nosotros) (los muchachos) (tú)
(yo) (la señora) (ustedes)

II. CAMBIA AL FUTURO.
Ej: <u>Asistimos</u> a una conferencia.
<u>Asistiremos</u> a una conferencia.

1. Llaman por teléfono.
2. Subes por el elevador.
3. Limpiamos el edificio.
4. Teresa toca la flauta.
5. Veo la televisión.
6. Comemos ciruelas. — *plum*
7. Recibes un regalo.
8. Llevan a los niños.
9. Necesitamos más luz.
10. Compro fruta de la estación.
11. Te presta su coche.
12. Practicamos español.

III. FORMA DOS ORACIONES.
Ej: <u>Conseguimos</u> los discos.
<u>Conseguiremos</u> los discos. ———— FUTURO
<u>Vamos a conseguir</u> los discos.

1. Observan las clases.
2. Pregunto por el encargado.
3. Preparo unos sándwiches.
4. La señora espera en la sala.
5. Los empleados llegan temprano.
6. Elena consigue los boletos.
7. Ese maestro enseña chino.
8. Limpiamos las ventanas.
9. No llevo a mis hijos.
10. Borro el pizarrón.
11. La señora corta un vestido.
12. Conocemos a ese doctor.

<u>Sabrás</u> la verdad mañana.

No <u>podremos</u> ir a la reunión.

Ese muchacho no <u>hará</u> el trabajo.

Ella no <u>dirá</u> nada.

Hoy <u>saldremos</u> más temprano.

VERBOS IRREGULARES

(F U T U R O)

Los verbos irregulares en el
futuro cambian la radical, pero
usan las mismas terminaciones:

```
podǿr   -   podr -- é
            podré  mos
            ás  an
             a
```

24.2

I verbos irregulares por
dipｔongación (ie - ue) <u>no</u>
tienen diptongo en futuro:

DEVOLVER - dev<u>ue</u>lvo - dev<u>o</u>lveré

DECIR		HACER	
diré	diremos	haré	haremos
dirás	dirán	harás	harán
dirá		hará	

PODER		QUERER	
podré	podremos	querré	querremos
podrás	podrán	querrás	querrán
podrá		querrá	

SABER		SALIR	
sabré	sabremos	saldré	saldremos
sabrás	sabrán	saldrás	saldrán
sabrá		saldrá	

TENER		VENIR	
tendré	tendremos	vendré	vendremos
tendrás	tendrán	vendrás	vendrán
tendrá		vendrá	

226

IV. SUSTITUYE.
   Ej: Podrán venir el domingo.
        (yo)
        Podré venir el domingo.

   A. No diré nunca la verdad.
      (Elena) (nosotros) (los niños)
      (tú) (usted) (ellos)

   B. Harán una posada el sábado.
      (Lupe) (yo) (nosotros)
      (los García) (tú) (ellos)

   C. No podremos jugar boliche hoy.
      (Carlos) (ustedes) (yo)
      (los muchachos) (tú) (Margarita)

   D. Querrán comprar fruta y verdura.
      (Elena) (nosotros) (yo)
      (los muchachos) (tú) (usted)

   E. Saldré a tiempo de la oficina.
      (el señor) (los empleados) (nosotros)
      (tú) (el encargado) (ustedes)

   F. Sabremos la dirección hoy.
      (Luisa) (ustedes) (yo)
      (los muchachos) (tú) (mis amigos)

   G. María tendrá calor allá.
      (tú) (mis hijos) (nosotros)
      (yo) (Carlos y Luis) (usted)

   H. El encargado vendrá a las siete.
      (nosotros) (la empleada) (yo)
      (las secretarias) (tú) (ustedes)

V. CAMBIA AL FUTURO.
   Ej: Él tiene comezón en la espalda.
        Él tendrá comezón en la espalda.

1. Quieren ir al cine.
2. Vuelvo el próximo invierno.
3. Llueve mucho aquí.
4. Carlos pierde en el boliche.
5. No encuentra su lista.
6. Nieva mucho en invierno.
7. ¿Cuánto cuesta el kilo de fresas?
8. No recuerdan la fecha.
9. Devuelven las cosas a tiempo.
10. El bebé no duerme bien.
11. No recuerdo los diálogos.
12. Cierran la tienda temprano.

227

Invitaremos a Elena y a David.

Voy a llevar a Lupe y a Susana.

Traerá a su hija y a su hijo.

O. D. (PERSONA)

RECUERDA:

a + o.d. (persona)

Veo a Juan.

Cuando el o.d. (persona) está formado por dos o más sustantivos, se usa a antes de cada uno:

Veo a Juan y a Luis.

24.3

VI. CAMBIA COMO EN EL EJEMPLO.

Ej: Invitamos a tu amiga.

Invitamos a tu amiga y a su hermana.

1. Arreglan a la niña.
2. Esperamos al doctor.
3. Invitan a Carlos.
4. Saludas a la maestra.
5. Conozco a tu hija.
6. Recibimos a la señora.
7. Oigo a Luisa.
8. Llevan a su amigo.
9. Recoges a los niños.
10. Necesitamos a la secretaria.
11. Llaman al encargado.
12. Quieren a su hijo.

Tengo una hija.

¿Tienes un hermano?

Margarita tiene amigas.

No tengo primos.

ATENCIÓN:

a + o.d. (persona)

Traigo a una amiga.

Excepto con el verbo tener:

Tengo una amiga.

VII. CONTESTA.

Ej: ¿Tienes amigos?

Sí, tengo muchos amigos.

1. ¿Tienes hermanos?
2. ¿Cuántos hijos tienes?
3. ¿Tiene usted hijos?
4. ¿Tiene usted muchos amigos?

5. ¿Cuántos hermanos tiene?
6. ¿Tienen ustedes primos?
7. ¿Tienes amigas?
8. ¿Cuántos primos tienes?

Tengo que decir la verdad.
Tengo que decirla.
La tengo que decir.

Tienes que encender el radio.
Tienes que encenderlo.
Lo tienes que encender.

Hay que comer papaya.
Hay que comerla.

Hay que contar el dinero.
Hay que contarlo.

Hay que comprarle fruta a María.
Hay que comprársela.

HAY QUE + o.d.
o.i.

24.4

RECUERDA:

Tengo que comprarlo.

o

Lo tengo que comprar.

PERO: Hay que comprarlo.
                 o.d.
          Hay que + o.i.   No es posible.
colocar el pronombre de o.d. y o.i. antes de hay que.

229

VIII. SUSTITUYE LOS OBJETOS DIRECTO E INDIRECTO POR UN PRONOMBRE.

Ej: Tenemos que leer <u>esos libros</u>.
     <u>Los</u> tenemos que leer.

1. Hay que encontrar las revistas.
2. Tenemos que limpiar el cuarto.
3. Tienes que conseguir ese libro.
4. Hay que encender la luz.
5. Hay que comprar fruta.
6. Hay que dividir el dinero.
7. Tienes que devolver esos papeles.
8. Tienes que arreglar a la niña.
9. Hay que resolver estos ejercicios.
10. Tenemos que contar los boletos.
11. Hay que llevar a María al doctor.
12. Tienes que recordar las direcciones.

IX. DI ALGO SOBRE LA ILUSTRACIÓN.

CONVERSACIÓN

230

LECCIÓN 25

- ¿Qué hace Elena?
- Está consiguiendo unos boletos para el ballet folklórico.
- ¿Es difícil conseguirlos?
- Creo que sí. Dicen que es fabuloso y que vale la pena ir.
- Sí, de veras es muy bueno. Hay que verlo.

- ¿Qué es eso?
- Adivina.
- ¡Los boletos!
- Elena, eres una maravilla. Es la primera vez que sirves para algo.
- Tú siempre tan amable, querido David.

231

Los estudiantes <u>repiten</u>* los diálogos.
El policía <u>impide</u>* el accidente.
Te <u>sigo</u>* en mi coche.
Los niños <u>ríen</u>* frecuentemente.
El maestro <u>corrige</u>* las tareas.

Estamos <u>sirviendo</u>* unas copas.
Ella está <u>pidiéndote</u>* un favor.
Nos están <u>diciendo</u>* mentiras.
¿Estás <u>consiguiendo</u>* el artículo?
No estoy <u>pidiendo</u>* nada.

25.1

VERBOS IRREGULARES

(CAMBIO DE VOCAL)

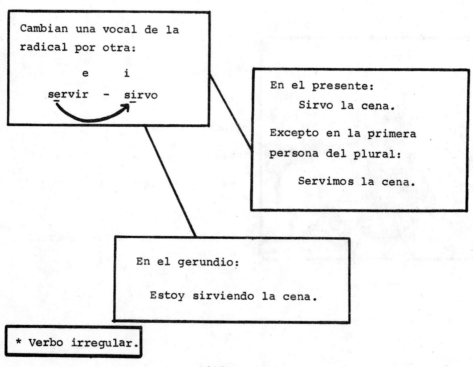

Cambian una vocal de la radical por otra:

    e   i
servir - sirvo

En el presente:

　　Sirvo la cena.

Excepto en la primera persona del plural:

　　Servimos la cena.

En el gerundio:

　　Estoy sirviendo la cena.

* Verbo irregular.

232

I. SUSTITUYE.
   Ej: Ella repite las oraciones.
        (usted)
        Usted repite las oraciones.

                    A. Te pedimos un favor.
                       (Luis) (yo) (ellos)
                       (Teresa) (los empleados) (Carlos)

                    B. El niño ríe frecuentemente.
                       (ustedes) (nosotros) (tú)
                       (Carmen) (los muchachos) (Elsa)

                    C. La secretaria consigue los boletos.
                       (nosotros) (usted) (mis hijos)
                       (yo) (Lupe y Ana) (tú)

                    D. El policía impide el accidente.
                       (ellos) (yo) (los encargados)
                       (tú) (el señor García) (nosotros)

                    E. La señora sirve fruta de la estación.
                       (yo) (ustedes) (mis hijas)
                       (nosotros) (tú) (usted)

                    F. La niña dice muchas mentiras.
                       (nosotros) (Carlos) (tú)
                       (yo) (los empleados) (usted)

                    G. La secretaria corrige el trabajo.
                       (ustedes) (tú) (mis amigos)
                       (nosotros) (yo) (ellos)

                    H. Te sigo en el coche.
                       (ellos) (nosotros) (yo)
                       (Carlos) (Teresa) (los muchachos)

                    I. Repiten el diálogo muchas veces.
                       (ella) (tú) (nosotros)
                       (los estudiantes) (el maestro) (yo)

II. CAMBIA AL PLURAL.
   Ej: Corrijo el artículo.
       Corregimos el artículo.

1. Siempre digo la verdad.   7. Te sigo en el coche.

2. No impido el accidente.   8. Repito las oraciones.

3. Te pido un favor.   9. No río casi nunca.

4. Consigo los boletos.   10. Pido la cena.

5. No sirvo fruta hoy.   11. Consigo las revistas.

6. Corrijo el trabajo.   12. Sirvo la mesa.

III. CAMBIA AL SINGULAR.
   Ej: Servimos la botana.
       Sirvo la botana.

1. Impedimos el accidente.   7. Te pedimos diez pesos.

2. Conseguimos las cintas.   8. Te seguimos en el coche.

3. Corregimos los trabajos.   9. Servimos las copas.

4. Decimos las oraciones.   10. Conseguimos el dinero.

5. Repetimos el diálogo.   11. Decimos la verdad.

6. Reímos con los niños.   12. Repetimos las oraciones.

IV. CAMBIA AL PRESENTE.
   Ej: Vas a decir la verdad.
       Dices la verdad.

1. Vamos a conseguir el libro.
2. Te van a pedir un favor.
3. Voy a repetir las oraciones.
4. Vas a decir el poema.
5. Te van a seguir en el coche.
6. Voy a servir el pastel.
7. El niño va a reír contento.
8. Voy a impedir el accidente.
9. Vamos a corregir el artículo.
10. ¿Vas a pedir el teléfono?
11. Van a conseguir los boletos.
12. Vamos a repetir el diálogo.

V. DI ALGO SOBRE LA ILUSTRACIÓN. USA <u>ESTAR + GERUNDIO</u>.

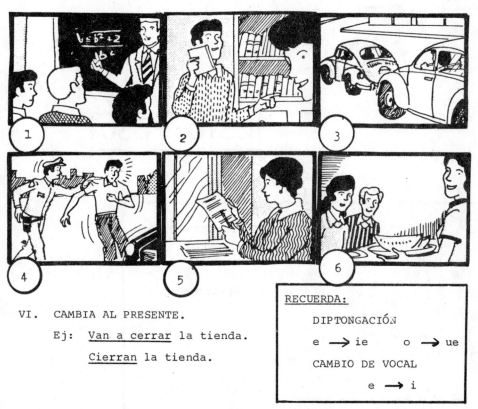

VI. CAMBIA AL PRESENTE.

Ej: <u>Van a cerrar</u> la tienda.

<u>Cierran</u> la tienda.

RECUERDA:

DIPTONGACIÓN

e ⟶ ie   o ⟶ ue

CAMBIO DE VOCAL

e ⟶ i

1. Te van a pedir un favor.
2. Vas a perder en el boliche.
3. Vamos a conseguir los boletos.
4. Van a encender la chimenea.
5. Ella va a servir el desayuno.
6. Voy a resolver el ejercicio.
7. Les voy a decir la verdad.
8. Va a costar mucho.
9. Nos van a seguir en el coche.
10. Van a dormir temprano.
11. Voy a recordar el poema.
12. Vamos a repetir los diálogos.
13. Va a venir en diciembre.
14. Va a impedir el accidente.

235

¿Qué es eso?

No sé, parece un animal.

¿Qué es esto?

Un regalo para María.

25.2

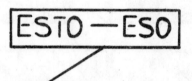

El demostrativo neutro se refiere a acciones,
generalidades u objetos no identificados.

¿Qué es eso?
(objeto no identificado)

No hagas eso.
(acción)

¿Escribo eso en la lista?
(algo vago o general)

El neutro no tiene plural.

VII.   COMPLETA. USA ESTOS, ESTAS, ESTE, ESTA, ESTO.

1. ¿Quiénes son _____ personas? Son unos maestros.
2. ¿Qué es _____? No sé.
3. ¿De quién es _____ blusa?
4. _____ es para Rosa y _____ para Lupe.
5. ¿Qué hay en _____ paquete?
6. _____ muchachos son mis amigos.
7. ¿Para qué sirve _____?
8. _____ son mis cosas.
9. ¿De quién es _____?
10. ¿Necesitas _____?

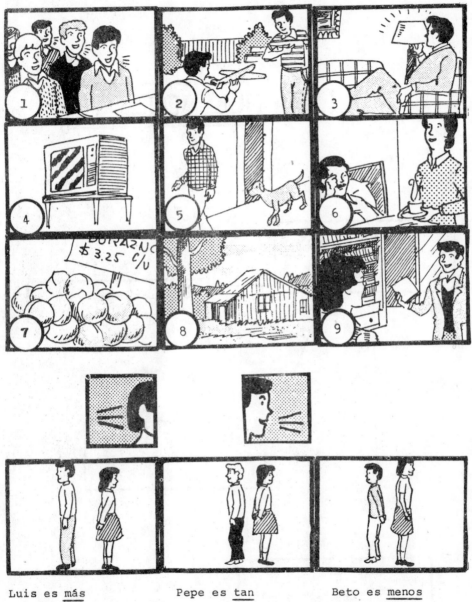

Luis es más
alto que Alicia.

Pepe es tan
alto como Alicia.

Beto es menos
alto que Alicia.

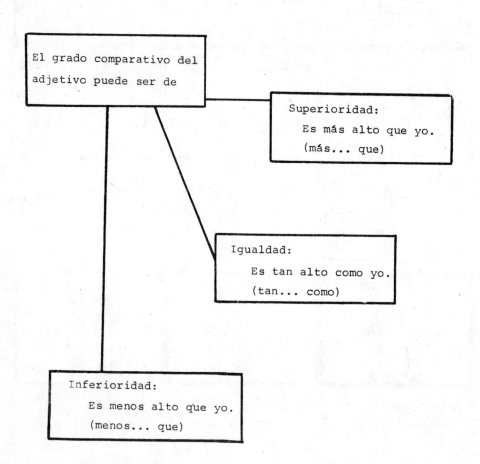

El grado comparativo del adjetivo puede ser de

Superioridad:

Es más alto que yo.

(más... que)

Igualdad:

Es tan alto como yo.

(tan... como)

Inferioridad:

Es menos alto que yo.

(menos... que)

IX.   CAMBIA. USA MÁS...QUE.

A.   Ej: El ballet es muy bonito.
          (el cine)
          El ballet es más bonito que el cine.

    1. El plátano es sabroso. (la toronja)

    2. Las margaritas son baratas. (las rosas)

    3. La fruta en lata es cara. (la fruta fresca)

    4. La revista es interesante. (el periódico)

    5. Mis libros están rotos. (tus libros)

    6. El encargado es muy flojo. (el empleado)

    7. Estas calles son angostas. (esas calles)

    8. Mi casa es grande. (su casa)

    9. Los sándwiches están sabrosos. (la verdura)

    10. El elevador es útil. (la escalera)

B.   USA MENOS...QUE.

Ej: El ballet es bonito.
     (el cine)
     El ballet es menos bonito que el cine.

C.   USA TAN...COMO.

Ej: El ballet es bonito.
     (el cine)
     El ballet es tan bonito como el cine.

X. PREGUNTA Y CONTESTA. USA <u>MÁS... QUE</u>, <u>TAN ... COMO</u>, <u>MENOS... QUE</u>.

UNIDAD 5

I. COMPLETA.

1. ¿Quién _____ ayudarme?
                    poder
2. Ellos _____ las revistas.
              conseguir
3. ¿A qué hora _____ el ballet?
                    empezar
4. Esa niña no _____ la verdad.
                    decir
5. ¿Nunca _____ los libros a tiempo?
              devolver (tú)
6. Mi hija _____ el desayuno.
                  servir
7. ¿_____ usted un café?
        querer
8. Luisa me _____ en su coche.
                  seguir
9. ¿Cuándo _____ en esta ciudad?
                llover
10. Los muchachos _____ los diálogos.
                        repetir
11. Luisa _____ la chimenea.
            encender
12. El bebé _____ frecuentemente.
                  reír

II. CAMBIA COMO EN EL EJEMPLO.

Ej: El doctor <u>nunca</u> llega a tiempo.
     El doctor <u>no</u> llega a tiempo <u>nunca</u>.

1. Nadie está hablando por teléfono.
2. Tampoco yo pienso ir.
3. Ninguno está muy contento.
4. Elsa nunca recuerda tu teléfono.
5. Nadie puede resolver ese ejercicio.
6. Los muchachos tampoco encuentran el libro.
7. Los García casi nunca van al cine.
8. Nunca llueve en ese lugar.
9. Ningún empleado está aquí.
10. Casi nunca compro en esa tienda.

III. CONTESTA LAS PREGUNTAS.

1. ¿Está lloviendo ahorita?
2. ¿Hace mucho frío hoy?
3. ¿Hay viento?
4. ¿Hace calor aquí?
5. ¿Nieva mucho en tu país?
6. ¿En qué meses nieva?
7. ¿Hace buen tiempo aquí?
8. ¿Llueve mucho en esta ciudad?
9. ¿Esta nevando ahora?
10. ¿Hace mal tiempo hoy?

IV. SUSTITUYE LOS OBJETOS DIRECTO E INDIRECTO.
   Ej: Tengo que cortarle un vestido a mi hija.
   Tengo que cortárselo.

1. Hay que devolverle el libro a Luis.
2. Tenemos que encender las luces.
3. Hay que dividir el dinero.
4. Hay que pedirle la revista a ella.
5. Tienen que empezar el trabajo hoy.
6. Tienes que llevarle unas flores.
7. Hay que conseguir esos periódicos.
8. Tenemos que corregir los trabajos.
9. Hay que repetir las oraciones.
10. Tienes que dormir al bebé.
11. Hay que ayudar a Teresa.
12. Tengo que comprar una blusa para Elsa.

V. CAMBIA COMO EN EL EJEMPLO. USA CREER, DECIR, SUPONER, PENSAR.
   Ej: Los muchachos tienen miedo.
   Creo que los muchachos tienen miedo.

1. El avión llegará a las tres en punto.
2. El encargado enciende las luces del edificio.
3. Llueve mucho por aquí.
4. En ese lugar sirven comida mexicana.
5. No vale la pena ver ese programa.
6. Las empleadas vuelven en la tarde.
7. No tendremos tiempo de ir.
8. Hay bastantes estudiantes aquí.
9. Casi nunca nieva en la ciudad de México.
10. Ellas tienen necesidad de estudiar.
11. El ballet empieza a las ocho de la noche.
12. El niño tiene ganas de dormir.

VI.   CAMBIA COMO EN EL EJEMPLO.
    Ej: La enfermera <u>va a volver</u> al rato.
         La enfermera <u>vuelve</u> al rato.

1. ¿Cuánto va a costar el libro?
2. Ellos van a contar el dinero.
3. Voy a devolver la grabadora.
4. El niño va a volar su avioncito.
5. Ella va a encender la luz.
6. No vamos a resolver el problema.
7. El no va a querer esa fruta.
8. ¿A qué hora va a empezar el ballet?
9. Va a nevar en invierno.
10. Vamos a cerrar la oficina ahorita.

VII. CAMBIA AL FUTURO.
    Ej: Compro unos plátanos.
         <u>Compraré</u> unos plátanos.

1. Me pide un favor.
2. Teresa recuerda el teléfono.
3. No conseguimos el artículo.
4. Enciendo la chimenea.
5. Aquí sirven buena comida.

6. Me devuelven mis plumas.
7. Te sigo en mi coche.
8. Llueve hoy en la tarde.
9. Ella no dice la verdad.
10. ¿A qué hora vuelves?

VIII. CAMBIA AL PRESENTE.
    Ej: Elena <u>dirá</u> la verdad.
         Elena <u>dice</u> la verdad.

1. Los muchachos van a repetir las oraciones.
2. Conseguiremos los boletos mañana.
3. La muchacha encenderá las luces.
4. Vas a reír mucho con el problema.
5. Te seguiré en mi bicicleta.
6. Van a servir comida japonesa.
7. El policía impedirá el accidente.
8. Nos van a pedir el dinero.
9. Preferiré ir al cine.
10. Volveremos a las ocho de la noche.

IX.   CAMBIA COMO EN EL EJEMPLO.
    Ej: La niña <u>va a querer</u> fruta.
         La niña <u>querrá</u> fruta.

1. No van a venir mis primos.
2. No vamos a tener tiempo.
3. El doctor va a salir tarde.
4. El niño va a decir mentiras.
5. Voy a ir en camión.

6. Voy a saber la verdad ahorita.
7. El bebé no va a poder dormir.
8. Ellas van a hacer una fiesta.
9. No va a poder salir hoy.
10. Van a tener ganas de ir.

X. CONTESTA.

1. ¿Es más barata la papaya que la sandía?
2. ¿Es tan sabroso el aguacate como el mango?
3. ¿Qué es menos caro, la ciruela o el durazno?
4. ¿Cuál es la fruta más barata?
5. ¿Es más barato el durazno que el mango?
6. ¿Son más bonitas las rosas que las margaritas?
7. ¿Es más grande la piña que la pera?
8. ¿Es más cara la toronja que el plátano?
9. ¿Cuál es tu fruta favorita?
10. ¿Cuáles son las frutas típicas de México?

- Buenas noches, señora.
- Qué tal, David.
- ¿Ya regresaron Bárbara y Ruth?
- Sí, regresaron hace un rato.

- ¿Se puede?
- Sí, pasa.
- ¡Hola! ¿Cómo están?
- Bien, pero un poco cansadas.
  Caminamos mucho hoy.
- Visitamos el centro de la ciudad,
  un mercado de artesanías y el
  Museo de Historia.

- ¿Compraron algo?
- Sí, yo compré unas tarjetas
  postales y unos vasos.
- ¿Y tú, Ruth?
- No encontré nada. Además, estaba
  tan impresionada con la ciudad...
  Otro día compraré.
- ¿Hacía calor en el centro?
- Sí, mucho calor y mucho tráfico.

Ellos <u>caminaban</u> por el centro.
<u>Visitaron</u> el museo la semana pasada.

Ruth <u>admiraba</u> la ciudad.   <u>Tenía</u> mucho frío.
Bárbara <u>compró</u> unos vasos ayer.   <u>Hizo</u>* <u>calor</u> antier.

Ya <u>sabía</u> la verdad.   <u>Quería</u> ver el zoológico.
Ya <u>regresó</u> Luis.   <u>Estudié</u> mucho anoche.

* Verbo irregular.

245

PRETÉRITO — COPRETÉRITO

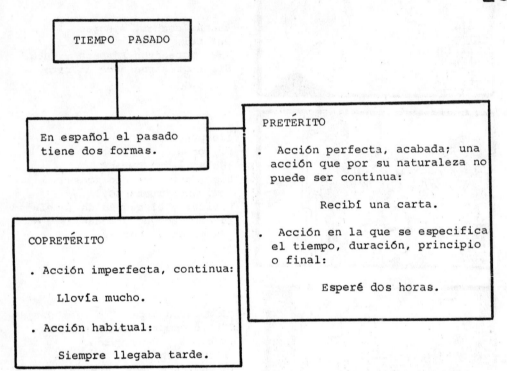

TIEMPO PASADO

En español el pasado
tiene dos formas.

PRETÉRITO

. Acción perfecta, acabada; una
acción que por su naturaleza no
puede ser continua:

Recibí una carta.

. Acción en la que se especifica
el tiempo, duración, principio
o final:

Esperé dos horas.

COPRETÉRITO

. Acción imperfecta, continua:

Llovía mucho.

. Acción habitual:

Siempre llegaba tarde.

Los dos tiempos, PRETÉRITO Y COPRETÉRITO, son pasados.
Su diferencia no está relacionada con el tiempo presente,
son sólo dos aspectos del pasado. Los dos tiempos pueden
referirse a un tiempo lejano o cercano del pasado.

Viví aquí dos meses en 1965.

Vivía aquí en 1965.

PRETÉRITO

AR	ER	IR
é		í
aste		iste
ó		ió
amos		imos
aron		ieron

I. SUSTITUYE.

Ej: Compré unas tarjetas ayer.
   (Ruth)
   Ruth compró unas tarjetas ayer.

A. Adivinamos la verdad.
   (Carmen) (yo) (ustedes)
   (la niña) (tú) (ellos)

B. Elena caminó un rato ayer.
   (ustedes) (yo) (usted)
   (ellos) (Carlos) (nosotros)

C. Encendí la chimenea anoche.
   (Jorge) (los muchachos) (ella)
   (ustedes) (tú) (nosotros)

D. Perdí mis libros hace un rato.
   (Elena) (nosotros) (usted)
   (tú) (ellos) (la niña)

E. Recibió una tarjeta ayer.
   (ellas) (nosotros) (Martha)
   (tú) (ellos) (tú)

F. Viví en Venezuela cuatro años.
   (Los García) (usted) (nosotros)
   (Luisa) (ellos) (tú)

G. ¿Cuánto tiempo estudiaste ayer?
   (usted) (ellos) (tu hijo)
   (los niños) (nosotros) (él)

H. Luis devolvió el disco el mes pasado.
   (nosotros) (la señora) (yo)
   (ellos) (tú) (Carmen)

I. El recordó la dirección anoche.
   (usted) (ellos) (yo)
   (nosotros) (tú) (Carmen)

J. Carlos no encontró al encargado.
   (ellos) (usted) (nosotros)
   (Elena) (tú) (yo)

K. Arreglé el cuarto en media hora.
   (mi hija) (ustedes) (ellos)
   (Juan) (nosotros) (tú)

L. Te esperamos toda la tarde.
   (ellos) (yo) (Rosa) (ella)
   (Luisa y Juan) (el doctor)

M. Subieron por el elevador.
   (nosotros) (Luis) (los niños)
   (la enfermera) (yo) (Jorge)

N. Ayudamos un rato a Margarita.
   (ellos) (tú) (los muchachos)
   (mi hija) (ustedes) (Luisa)

Ñ. Tomé agua muy fría.
   (los niños) (el bebé) (tú)
   (nosotros) (Elena) (ustedes)

O. Trabajaron allí hace dos años.
   (Elsa) (ustedes) (yo)
   (mi hermana) (tú) (Carlos)

P. Juan llegó tarde hoy.
   (los maestros) (yo) (el doctor)
   (tus hijos) (usted) (ellos)

Q. Saludé a Rosa hace un rato.
   (nosotros) (tú) (Eugenia)
   (ustedes) (mi hija) (ellos)

COPRETERITO

AR	ER	IR
aba	ía	
abas	ías	
aba	ía	
ábamos	íamos	
aban	ían	

ATENCIÓN:

yo
él   } - aba
ella   } - ía
usted

Usamos yo, él, etc. para aclarar la persona si es necesario.

I. SUSTITUYE.
Ej: Elena ya sabía la verdad.
(yo)
Yo ya sabía la verdad.

A. No recordaba la dirección.
(ustedes) (yo) (Rosa y Luis)
(tú) (ellos) (nosotros)

B. Teníamos mucho miedo.
(el niño) (yo) (ellos)
(tú) (ustedes) (David)

C. Carlos preparaba unas copas.
(mi hijo) (ustedes) (yo)
(nosotros) (el señor) (ellos)

D. El niño no dormía muy bien.
(yo) (mis hijas) (él)
(ustedes) (nosotros) (tú) *snacks*

E. La señora servía la botana.
(Margarita) (nosotros) (yo)
(tus amigos) (tú) (ellas)

F. Las niñas estaban cansadas.
(mi hermana) (yo) (ellos)
(nosotros) (el bebé) (yo)

G. Bárbara admiraba la ciudad.
(nosotros) (los niños) (tú)
(ellas) (yo) (tus hijas)

H. Queríamos llegar a tiempo.
(Ruth) (los doctores) (yo)
(Rosa) (tú) (mis amigos)

I. Siempre veníamos a pie.
(Jorge) (tú) (los niños)
(nosotros) (ustedes) (la maestra)

J. A veces desayunaban en la cocina.
(Martha) (yo) (mis hijos)
(usted) (su esposo) (ellos)

K. Elena llevaba al niño al doctor.
(nosotros) (usted) (yo)
(la señora) (ellos) (mi hija)

L. Comía allí frecuentemente.
(ustedes) (yo) (mi esposo)
(Teresa y Rosa) (tú) (nosotros)

M. Escribía en máquina con frecuenci
(mi hijo) (Pedro y Felipe) (yo)
(Ernesto) (ellos) (nosotros)

N. Rosa visitaba a Carmen a veces.
(Ana y Pilar) (yo) (nosotros)
(tú) (usted) (Sara y Marcela)

O. Miguel estaba muy impresionado.
(nosotros) (usted) (la señora)
(yo) (las niñas) (tú)

P. El doctor llegaba temprano siempr
(nosotros) (Carmen) (tú)
(mis hijos) (Ana) (ellos)

COPRETÉRITO 26.4

(VERBOS IRREGULARES)

IR	SER	VER
iba	era	veía
ibas	eras	veías
iba	era	veía
íbamos	éramos	veíamos
iban	eran	veían

III. SUSTITUYE.

Ej: Ana iba al cine con frecuencia.
(nosotros)
Íbamos al cine con frecuencia.

A. Jorge era muy amigo de Carlos.
(nosotros) (usted) (ellos)
(mi esposo) (yo) (mis hijos)

D. Felipe era un estudiante muy bueno.
(mis hijos) (Ernesto) (yo)
(ustedes) (ella) (tú)

B. Elena nunca veía la televisión.
(ellos) (nosotros) (Teresa)
(yo) (ustedes) (tú)

E. La niña no veía bien.
(tu mamá) (yo) (los muchachos)
(nosotros) (usted) (Ana y Pilar)

C. Iban a la playa seguido.
(Luisa) (tú) (ustedes)
(yo) (nosotros) (ellos)

F. Casi nunca íbamos al doctor.
(Rosa) (las chicas) (usted)
(sus hijas) (el señor García) (tú)

IV. CAMBIA AL PRETÉRITO. USA UNA EXPRESIÓN DE TIEMPO.

Ej: Caminábamos por la ciudad.
Caminamos por la ciudad ayer.

RECUERDA:
ayer
antier
anoche
la semana pasada
el mes pasado
el año pasado

1. Asistían a clases.
2. Conocíamos a tus hijas.
3. Luis dictaba unas cartas.
4. Me prestabas tus cintas.
5. Ella regresaba de Acapulco.
6. Elsa cerraba las ventanas.
7. Yo recogía a los niños en la escuela.
8. El señor arreglaba la grabadora.
9. Luis devolvía los libros a tiempo.
10. Los niños ayudaban a su mamá.
11. Pensábamos ir a la conferencia.
12. Los empleados no salían a tiempo.

V. CAMBIA AL COPRETÉRITO. USA UNA EXPRESIÓN DE TIEMPO.

Ej: Conseguimos los boletos ayer.
Conseguíamos los boletos a veces.

RECUERDA:
antes
siempre
frecuentemente
a veces
seguido

1. Ayer llovió mucho aquí.
2. Subimos por el elevador.
3. Martha cosió unas blusas.
4. No encontramos las llaves.
5. El avioncito voló muy bien.
6. Ella preparó la comida ayer.
7. Carlos recibió los boletos anoche.
8. Asistieron a muchas conferencias.
9. El señor arregló el radio.
10. Estudié francés el año pasado.
11. El bebé comió fruta y verdura.
12. Esperé el trolebús cerca de aquí.

Subí la escalera.
Subía la escalera con frecuencia.

Elena preparó la cena en diez minutos.
Preparaba la cena muy seguido.

Viví en esa casa dos años.
Antes vivía en esa casa.

El doctor comió allí ayer.
Siempre comía allí.

Encendió la luz a las siete.
Encendía la luz a las siete.

Los muchachos chocaron ayer.
Luis chocaba su coche frecuentemente.

tropezar
trip

250

PRETÉRITO—COPRETÉRITO 2G.5

PRETÉRITO

Hay algunos verbos que por su significado son momentáneos; la acción empieza y termina en un tiempo muy corto:

>   Llamé a Teresa.
>   Carlos chocó.
>   Apagó la luz.

Se usa el pretérito para expresar acciones perfectas, momentáneas o acabadas en el pasado.

Sin embargo, cuando estos verbos expresan una acción habitual o repetida en el pasado, se usa el copretérito:

>   Llamaba a Tere
>   con frecuencia.
>
>   Carlos chocaba seguido.

Siempre apagaba la luz a las doce.

COPRETÉRITO

El significado de algunos verbos se refiere a una acción continua o habitual:

>   Llovía mucho.
>   Leían una novela.
>   ¿Vivías en Perú?

Se usa el copretérito para expresar acciones imperfectas, continuas o habituales en el pasado.

Los verbos de significado imperfecto se usan en pretérito cuando la acción se limita con una expresión de tiempo; cuando conocemos el principio, el final o la duración de la acción:

>   Llovió toda la tarde.
>   Leyeron una novela anoche.
>   ¿Viviste en Perú mucho
>   tiempo?

251

VI. CAMBIA AL PRETÉRITO.

Ej: Frecuentemente comía en ese restaurant.
Comió en ese restaurant el lunes pasado.

1. Generalmente desayunaban a las siete.
2. El niño contaba mentiras a veces.
3. Ellos leyeron un libro en español.
4. Los gatos dormían en la cocina.
5. Contestábamos en español generalmente.
6. Siempre planeaban todo con cuidado.
7. El señor Ramírez fumaba mucho.
8. Carmen chocaba con frecuencia.
9. Martha cantó una canción peruana.
10. Ellos vieron a tu hermana en el centro.

VII. CAMBIA AL COPRETÉRITO.

Ej: Apagué la luz a las once.
Generalmente apagaba la luz a las once.

1. Los niños adivinaron la verdad.
2. Caminé varias horas ayer.
3. Conseguí un libro fabuloso.
4. Llamé a Pedro varias veces.
5. Sus hijos jugaron boliche anoche.
6. Invité a tus amigos a la reunión.
7. El señor chocó su camioneta ayer.
8. Elsa escribió en máquina el trabajo.
9. Encontramos a tu hija en la universidad.
10. Encendieron las luces muy tarde.

VIII. CAMBIA AL COPRETÉRITO.

Ej: Veo la televisión a veces.
Veía la televisión a veces.

> RECUERDA:
>
> IR - SER - VER
> Son los únicos verbos
> irregulares en copretérito.

1. Elena es una buena alumna.
2. Veo a tu hermana frecuentemente.
3. Tengo comezón en la espalda.
4. Vamos al centro en camión.
5. Pongo la fruta en la cocina.
6. Ella quiere un sándwich.
7. Vemos a tu hija frecuentemente.
8. Voy al centro muy seguido.
9. Luis piensa en ella a veces.
10. Somos muy amigos.

IX.   COMPLETA. USA <u>PRETÉRITO O COPRETÉRITO.</u>

Mis hermanas _FUERON_ al centro ayer; _hacía_
            ir   hacer

mucho frío, por eso _llevaron_ su abrigo.
                       llevar

Ellas _querían_ comprar unas cosas. Martha _necesitó_
        querer   necesitar _taba_

una blusa y una tela. El empleado le _enseñó_
                                    enseñar

muchas cosas pero Martha no _encontró_ nada.
                             encontrar

A las cinco _salieron_ de la tienda y _vieron_ un
             salir   ver

accidente. _llegaron_ a la casa muy impresionadas.
           llegar

Juan es un <u>buen</u> electricista.   Jorge es un escritor <u>malo</u>.
Pedro es un carpintero <u>bueno</u>.   Carlos es un <u>mal</u> albañil.

Winston Churchil era un <u>gran</u> hombre.   Estudiamos el curso <u>primero</u>
El señor López es un hombre <u>grande</u>.   Estudiamos el <u>primer</u> curso.

BUEN — MAL — GRAN   26.6

s adjetivos <u>bueno</u>, <u>malo</u>, <u>primero</u>
tercero, cuando se colocan antes
l sustantivo, pierden la vocal
nal en el masculino singular:

  Ella es una buena doctora.

  El es un buen actor.

El significado no cambia; sólo
hay más énfasis.

PERO:

    grande - gran < masculino / femenino

Un gran hombre. (cualidades
Una gran mujer. personales)

Un hombre grande. _siempre_
Una mujer grande. (edad, tamaño)

El adjetivo <u>grande</u> sí cambia de
significado cuando va antes o
después del sustantivo.

253

RECUERDA:

primer - .tercer

X. CAMBIA COMO EN EL EJEMPLO.

Ej: Hacemos el ejercicio <u>primero</u>.
     Hacemos el <u>primer</u> ejercicio.

1. Pedro es un carpintero bueno.
2. Elsa estudia el libro tercero.
3. El doctor es un hombre grande.
4. Voy a asistir al curso primero.
5. Pedro no es un albañil malo.
6. Juan es un actor bueno.
7. Es una casa grande.
8. Quiero tomar el curso tercero.
9. Es el martes primero del mes.
10. Arturo es un escritor malo.

CONVERSACIÓN

XI. CONTESTA. USA <u>PRETÉRITO</u> O <u>COPRETÉRITO</u>.

1. ¿Qué compraste ayer?
2. ¿Hacía calor en el centro?
3. ¿Compraste algo en el mercado?
4. ¿Caminaron mucho Ruth y Bárbara?
5. ¿Cuánto tiempo trabajó el albañil?
6. ¿Ya sabías la verdad?
7. ¿Estaba enfermo el niño?
8. ¿A qué hora regresó el carpintero?
9. ¿Cuándo regresó Lupe?
10. ¿Quiénes estaban en la reunión?
11. ¿Qué cursos tomaste el año pasado?
12. ¿Qué cursos tomas ahora?
13. ¿Hablan español tus padres?
14. ¿Habla español la madre de Elena?

- ¡Adiós suegra!
- ¿Por qué no contestó, señora?
- Porque es un tonto. *estúpido*
- ¿Qué quiso decir con "adiós suegra"?
- Es difícil de explicar. Quiso decir que Elena es guapa y como yo soy su mamá, pues me dice suegra. Es muy mexicano decirles piropos a las mujeres. A veces los piropos son amables y graciosos, pero otras veces son desagradables y vulgares.
- ¿Te decían piropos cuando vivías en Estados Unidos, Elena?
- No, generalmente los americanos no dicen piropos en la calle.

¿Qué quiso* decir ese muchacho?   ¿Hacía frío en Madrid?
Quiso decir que Elena es guapa.   No, no hacía frío. Hacía buen tiempo.

¿Qué hacía Juan en Europa?   ¿Estudiabas cuando vivías en España?
Estudiaba idiomas.   Sí, estudiaba español y arte.

¿Venía Luisa a México seguido?   ¿Qué hicieron* los muchachos ayer?
Sí, venía muy seguido.   Nadaron y tomaron el sol.

¿Quién pasó en limpio el trabajo?   ¿Trabajaba y estudiaba al mismo tiempo?
Lo pasó la secretaria.   Sí, trabajaba y estudiaba.

PRETÉRITO — COPRETÉRITO | 27.1

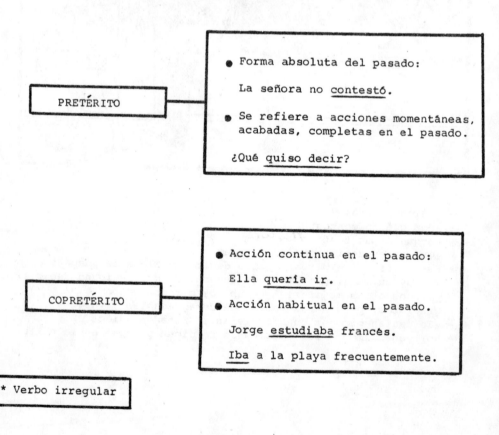

PRETÉRITO

- Forma absoluta del pasado:

  La señora no contestó.

- Se refiere a acciones momentáneas, acabadas, completas en el pasado.

  ¿Qué quiso decir?

COPRETÉRITO

- Acción continua en el pasado:

  Ella quería ir.

- Acción habitual en el pasado.

  Jorge estudiaba francés.

  Iba a la playa frecuentemente.

* Verbo irregular

ATENCIÓN:

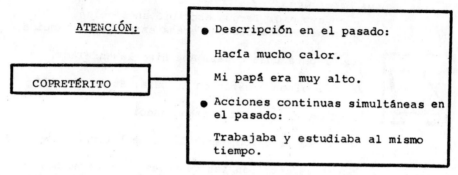

COPRETÉRITO	• Descripción en el pasado: Hacía mucho calor. Mi papá era muy alto. • Acciones continuas simultáneas en el pasado: Trabajaba y estudiaba al mismo tiempo.

I. CAMBIA AL COPRETÉRITO. USA <u>FRECUENTEMENTE</u>, <u>A VECES</u>, <u>GENERALMENTE</u>, <u>SEGUIDO</u>.

Ej: Carlos <u>limpió</u> el coche <u>ayer</u>.
      Carlos <u>limpiaba</u> el coche <u>frecuentemente</u>.

1. Los muchachos nadaron dos horas ayer.
2. Jorge me explicó la tarea.
3. Pasé en limpio mi trabajo anoche.
4. Nevó mucho en mi país el año pasado.
5. Margarita tomó el sol toda la mañana.
6. La fiesta empezó a las nueve.
7. Caminaron mucho en el centro.
8. Volvimos muy temprano anoche.
9. Ellas admiraron las artesanías.
10. Ayer te recordé mucho en la reunión.

II. CAMBIA AL PRETÉRITO. USA <u>ANOCHE</u>, <u>AYER</u>, <u>ANTIER</u>, <u>EL AÑO (MES, LUNES) PASADO</u>, <u>LA SEMANA PASADA</u>.

Ej: <u>Veíamos</u> a tu hija <u>frecuentemente</u>.
      <u>Vimos</u> a tu hija <u>el lunes pasado</u>.

1. ¿Encontrabas a Martha en la universidad?
2. Ellos perdían en el boliche frecuentemente.
3. Encendíamos la chimenea a veces.
4. La función empezaba a tiempo generalmente.
5. Elsa caminaba en el parque a veces.
6. Veía a Luis muy seguido.
7. Pasaba en limpio mi tarea a veces.
8. Generalmente nadaba los domingos.
9. Veíamos al doctor muy seguido.
10. Tomábamos el sol frecuentemente.

III. FORMA ORACIONES.

Ej: Juan estudió. Teresa escribió en máquina.
Juan estudiaba cuando Teresa escribía en máquina.

1. Preparé unas copas. Ana hizo la ensalada.

2. Los niños jugaron en la sala. Su mamá salió.

3. Tomé el sol. Mi hermana nadó.

4. David practicó español. Elena habló con su amiga.

5. Ellas cerraron las ventanas. Llovió mucho.

6. Martha fumó un cigarro. Su mamá no la vio.

7. Ellos visitaron el museo. Javier compró unas tarjetas.

8. La niña corrió en el restaurante. Su papá la llevó.

9. Invité a mis amigas. Hice una fiesta.

10. Lavamos la camioneta. Mi papá nos ayudó.

IV. FORMA ORACIONES.

Ej: La señora limpió la cocina. El señor preparó la ensalada.
La señora limpiaba la cocina mientras el señor preparaba
la ensalada.

1. Estudié biología. Luisa cortó un vestido.

2. Tomamos el sol. Los niños nadaron.

3. Conseguí las direcciones. Martha preguntó los teléfonos

4. Rosa pensó en Jorge. Jorge estuvo en Canadá.

5. El señor arreglo la grabadora. La señora preparó unos
sándwiches.

6. La secretaria escribió. Yo le dicté unas cartas.

7. Encendimos la chimenea. Teresa limpió el cuarto.

8. Devolvieron los libros. Juan preguntó la dirección.

9. Oímos unas cintas. Rosa terminó su tarea.

10. Compramos la fruta. La señora buscó unas latas.

Ej: Hablé por teléfono. Escribí la carta.
      Hablaba por teléfono y escribía la carta al mismo tiempo.

1. Preparó la cena. Limpió la cocina.
2. Tomamos el sol. Estudiamos francés.
3. Caminamos por la ciudad. Admiramos los edificios.
4. Oí las oraciones. Las repetí.
5. Ella esperó al dentista. Escribió unas cartas.
6. El bebé tomó su botella. Jugó con el gato.
7. Miguel explicó el problema. Escribió en el pizarrón.
8. Leímos el periódico. Vimos la televisión.
9. Llovió mucho. Hizo calor.
10. El encargado encendió las luces. Cerró las puertas.

Vinieron mis suegros a mediodía.

Supe la nocitia anoche.

Elena trajo la ensalada.

Ruth estuvo feliz* en la fiesta.

¿Qué quiso decir?

No pudo salir a tiempo.

María tuvo un bebé ayer.

¿Dónde pusiste el directorio?

No hicimos la tarea.

27.2

¿Quién dijo eso?

VERBOS IRREGULARES

Algunos verbos irregulares
en el pretérito.

(PRETÉRITO)

VENIR	
vine	vinimos
viniste	vinieron
vino	

DECIR		ESTAR		HACER	
dije	dijimos	estuve	estuvimos	hice	hicimos
dijiste	dijeron	estuviste	estuvieron	hiciste	hicieron
dijo		estuvo		hizo	

* feliz - felices

259

PODER		PONER		QUERER	
pude	pudimos	puse	pusimos	quise	quisimos
pudiste	pudieron	pusiste	pusieron	quisiste	quisieron
pudo		puso		quiso	

SABER		TENER		TRAER	
supe	supimos	tuve	tuvimos	traje	trajimos
supiste	supieron	tuviste	tuvieron	trajiste	trajeron
supo		tuvo		trajo	

VI. SUSTITUYE.
   Ej: No pude llegar temprano.
        (ellos)
        No pudieron llegar temprano.

A. Tuvimos mucho trabajo.
   (el ingeniero) (yo) (mi esposo)
   (ellos) (tú) (Margarita)

B. Una mujer vino a preguntar.
   (unos hombres) (nosotros)(yo)
   (mis sobrinos)(el albañil) (t

C. No supe las noticias a tiempo.
   (Jorge) (nosotros) (el maestro)
   (ellos) (tú) (usted)

D. La niña dijo muchas mentira:
   (los albañiles)(nosotros) (;
   (ese muchacho) (ustedes)(us

E. Mis suegros estuvieron enfermos.
   (Rosa) (yo) (los niños)
   (el plomero) (ustedes) (el bebé)

F. ¿Trajo Carlos las tarjetas postales?
   (usted) (mis suegros) (Elena)
   (nosotros) (ustedes) (tú)

G. ¿Tú pusiste la lechuga en la cocina?
   (usted) (las niñas) (ustedes)
   (la señora) (ellos) (Rosa)

H. Los albañiles hicieron ese trabajo.
   (el plomero) (yo) (los carpinteros)
   (ustedes) (nosotros) (el ingeniero)

I. David no pudo entender el piropo.
   (yo) (ellos) (mi sobrina)
   (nosotros) (María) (ustedes)

J. Luis no quiso venir a mediodía.
   (mis hijas) (yo) (usted)
   (ellos) (nosotros) (Luisa)

260

VII.   CAMBIA AL PRETÉRITO. <u>USA EXPRESIONES DE TIEMPO.</u>
   Ej: Elsa no <u>quiere</u> comer nada.
         Elsa no <u>quiso</u> comer nada <u>ayer</u>.

1. Nadie trae suficiente dinero.
2. Hace mucho calor aquí a mediodía.
3. Venimos a clase a las nueve.
4. Ellos tienen mucho trabajo.
5. El espectáculo está horrible.
6. Podemos comprar la verdura.
7. Sé las noticias a tiempo.
8. El albañil no quiere trabajar hoy.
9. Ponemos las blusas en la recámara.
10. Digo los diálogos en español.

Construction whes

VIII. CAMBIA AL PRESENTE.
   Ej: <u>Pusimos</u> los libros en su lugar <u>anoche</u>.
         Siempre <u>ponemos</u> los libros en su lugar.

1. Ayer dijeron la noticia en el radio.
2. Mi suegro vino la semana pasada.
3. No quisimos cenar mucho anoche.
4. Estuve feliz en la fiesta del sábado.
5. Carmen no pudo venir el año pasado.
6. Hizo mucho frío ayer en la noche.
7. No tuvimos tiempo de llamar antier.
8. Trajeron su coche nuevo anoche.
9. Puse mi abrigo en la silla.
10. Supimos la noticia el mes pasado.

IX.   REPITE EL MODELO Y AGREGA UNA EXPRESIÓN DE TIEMPO.
   Ej.:   Compro café.   Siempre compro café.
          Voy a comprar café.   Voy a comprar café mañana.
          Compré café.   Compré café ayer.
          Compraba café.   Compraba café muy seguido.

1. Devolví los libros.
2. Voy a limpiar el cuarto.
3. Compran en esa tienda.
4. María contestaba el teléfono.
5. Vamos a hacer una fiesta.
6. Repetimos las oraciones.
7. Recibíamos muchas visitas.
8. Tomo el sol en las mañanas.
9. ¿Vas a estudiar francés?
10. Luis encendió la chimenea.
11. Llueve mucho.
12. Salió temprano.

X. COMPLETA. USA <u>PRETÉRITO O COPRETÉRITO</u>.

El verano pasado, mis amigos y yo _____ en la playa.

                               estar

Todos los días _____ el sol y _____ en las

                 tomar   nadar

mañanas. Después de comer _____ un rato porque _____

                         dormir   hacer

mucho calor. Uno de mis amigos, Jorge, _____ un accidente

                                tener

en la playa; lo _____ al hotel y _____ al doctor.

             llevar (nosotros)   llamar

Jorge _____ que regresar antes a su casa.

        tener

XI. LEE CUIDADOSAMENTE.

CONVERSACIÓN

Mi casa está cerca de la escuela.
Por eso mis amigos vienen con mucha
frecuencia. Hoy en la mañana no
tuvimos clase de español porque
nuestra maestra está enferma. Vinimos
a mi casa y estuvimos aquí hasta
medio día. A esa hora regresamos a la
escuela para nuestra clase de
historia. La clase estuvo interesante.
A la una regresamos a comer.

XII. CONTESTA.

1. ¿Por qué van los amigos a la casa de Elena?
2. ¿Estuvieron allí hoy en la mañana?
3. ¿Tuvieron clase de español?
4. ¿Qué hicieron los muchachos?
5. ¿Hasta qué hora estuvieron en casa de Elena?
6. ¿Para qué regresaron a la escuela?
7. ¿Cómo estuvo la clase de historia?
8. ¿A qué hora regresaron a comer?
9. ¿A qué hora comes?
10. ¿Dónde comes?
11. ¿Tomas clase de historia?
12. ¿Es interesante?

- ¿Qué tienes? ¿Estás de mal humor?
- No sé.
- ¿Cómo?
- De veras, no sé. Hoy tuve un día tan raro, tan diferente...
- ¿Sí? ¿Por qué?
- En la mañana fui al centro a comprar unos zapatos azules. Llegué a la zapatería, compré los zapatos y regresé a la casa. Cuando abría el paquete sonó el teléfono. Fui a contesta y cuando regresé sólo estaba un zapato.
- ¡No!
- En serio. Pero eso no es todo. Mientras buscaba el otro zapato sonó el teléfono otra vez; fui a contestar y cuando regresé ya estaban los dos zapatos.
- ¡Caràmba!
- Entonces descubrí que un zapato era azul y el otro negro. Fui al centro otra vez, llegué a la zapatería y estaba cerrada.
- ¿En serio?
- Sí, va a estar cerrada dos semanas por vacaciones.
- Oye, parece una novela de misterio.

Cuando abría el paquete sonó* el teléfono.
Mientras buscaba el zapato sonó otra vez.

Veíamos los cuadros cuando llegó Luis.
Luis llegó mientras veíamos los cuadros.

Carmen escribía unas cartas cuando le hablaste.
Le hablaste cuando escribía unas cartas.

Tocábamos la guitarra cuando llegaron.
Llegaron mientras tocábamos la guitarra.

Admiraban el edificio cuando pasó la ambulancia.
La ambulancia pasó cuando admirábamos el edificio.

PRETÉRITO Y COPRETÉRITO 28.1
EN LA MISMA ORACIÓN

Expresamos en copretérito una acción continua que transcurre en
el pasado.   Ej: Buscaba el zapato.
Si otra acción la interrumpe, se expresa en pretérito.
            Ej: Buscaba el zapato cuando sonó el teléfono.

I. SUSTITUYE.
    Ej: Oía el radio cuando llamaste.
        (nosotros)
        Oíamos el radio cuando llamaste.

A. Elena hacía la comida cuando sonó el teléfono.
   (los muchachos) (la señora) (yo)
   (tú) (ustedes) (nosotros)

B. Veíamos la tele cuando pasó la ambulancia.
   (yo) (los niños) (usted)
   (Carlos y Rosa) (tú) (ustedes)

C. Luis corregía el artículo cuando llegamos.
   (Jorge) (usted) (los muchachos)
   (yo) (María Eugenia) (ustedes)

D. Iban al súper cuando vieron el accidente.
   (los niños) (yo) (ustedes)
   (nosotros) (usted) (Teresa y yo)

E. Teresa explicaba el problema cuando oyó el ruido.
   (ellos) (la maestra) (tú)
   (ustedes) (Javier) (nosotros)

264

* Verbo irregular

ATENCIÓN:

Hablaba por teléfono	cuando llegó.
Llegó cuando	hablaba por teléfono.

II. CAMBIA.

Ej: Tomaba el sol cuando oí el ruido.
    Oí el ruido cuando tomaba el sol.

1. Buscaba el zapato cuando sonó el teléfono.
2. Nevaba mucho cuando regresé.
3. Elsa encendía la luz cuando descubrió al niño.
4. Tomábamos el sol cuando oímos la ambulancia.
5. Sonaba el teléfono cuando llegué.
6. Me explicaban el artículo cuando llegaste.
7. Luis esperaba a Rosa cuando pasé por allí.
8. Empezaba la función cuando llegamos.
9. ¿Pasaba una ambulancia cuando saliste?
10. Esperaba el trolebús cuando pasó Javier.

III. COMPLETA.

Ej: Estudiaba cuando **me llamaste**.

1. Leíamos cuando...
2. Llovía cuando...
3. Yo estudiaba cuando...
4. ¿Esperaba el camión cuando...
5. Ellos salían cuando...
6. Me explicaban cuando...
7. Juan regresaba cuando...
8. Nadábamos cuando...
9. Preguntábamos la dirección...
10. Él buscaba el libro cuando...

¿Quién cerró la puerta?
No encontré mi abrigo.
¿Cuánto costó la cinta?
El teléfono sonó varias veces.
¿Por qué encendiste la chimenea?
Ayer no llovió.

VERBOS IRREGULARES 28.2

(DIPTONGACIÓN)

Los verbos irregulares por diptongación (cierro, duermo) <u>no</u> tienen diptongo en el pretérito.

    Cierro la puerta.
    Cerré la puerta.

265

IV. CAMBIA AL PRETÉRITO.

Ej: <u>Pienso llegar</u> temprano.
<u>Pensé llegar</u> temprano.

1. Ella vuelve a tiempo.
2. El avioncito vuela bien.
3. Ellos resuelven el problema.
4. No encuentro sus libros.
5. Nieva mucho en invierno.
6. Luis enciende la luz.
7. Llueve mucho aquí.
8. Ella pierde su dinero.
9. Suena mucho el teléfono.
10. Devuelvo el libro a tiempo.

V. CAMBIA AL PRESENTE.

Ej: <u>Nevó</u> mucho en diciembre.
<u>Nieva</u> mucho en diciembre.

1. El empleado contó el dinero.
2. Mis amigos volvieron el lunes.
3. No pude abrir la ventana.
4. Cerraron la tienda temprano.
5. La función empezó a las nueve.
6. Ellos encendieron las luces.
7. Pensaron comprarlo.
8. ¿Cuánto costó el disco?
9. Llovió mucho en el norte.
10. Perdieron en el boliche.

VI. CAMBIA AL COPRETÉRITO.

Ej: <u>Prefieren</u> comer temprano.
<u>Preferían</u> comer temprano.

1. No encuentro mi abrigo.
2. El teléfono suena frecuentemente.
3. ¿Resuelves los ejercicios?
4. Me devuelven mis libros.
5. Elsa tiene mucha prisa.
6. El avión vuela muy alto.
7. Cuesta ciento cincuenta pesos.
8. Pienso llegar a las cuatro.
9. Ellas vienen muy seguido.
10. El bebé no quiere comer.

Elena fue el centro ayer.
Nunca fui un buen estudiante.
Fuimos al cine anoche.
Fueron buenos amigos.

IR—SER 28.3
(PRETÉRITO)

Los verbos IR y SER tienen la misma forma en el pretérito.	fui	fuimos
	fuiste	fueron
	fue	

VII.   SUSTITUYE.
   Ej: María fue a la biblioteca ayer.
      (nosotros)
      Fuimos a la biblioteca ayer.

A. ¿Fueron al centro ayer?
   (Martha) (ustedes) (tú)
   (ellos) (usted) (Carlos)

B. Juan no fue a la fiesta.
   (mis sobrinos) (yo) (ellos)
   (nosotros) (usted) (ustedes)

C. Fueron buenos alumnos.
   (Elsa) (ustedes) (yo)
   (nosotros) (ellos) (tú)

D. Elena fue muy feliz en esa escuela.
   (ellos) (yo) (nosotros)
   (los niños) (tú) (usted)

VIII. CONTESTA.

1. ¿Fuiste al centro ayer?
2. ¿Quién fue a la reunión?
3. ¿Fue usted un buen estudiante?
4. ¿Fueron amables los García?
5. ¿Fue usted en camión o en coche?
6. ¿Fuiste feliz en esa escuela?
7. ¿Fueron a la clase de gimnasia?
8. ¿Fue maestro tu papá?

CONVERSACIÓN

IX. DI ALGO SOBRE LA ILUSTRACIÓN. USA PRETERITO Y COPRETÉRITO.

Ej:

El florero estaba en
la mesa y el perro
dormía en la alfombra.

El perro quería
jugar con el
florero.

Cuando la señora
entró, el florero
estaba en el suelo
y el perro no estaba.

268

- Fueron a Puebla, ¿verdad?
- Sí, fue una experiencia interesante. Es una ciudad
  colonial muy agradable.
- ¿Qué vieron?
- Los edificios antiguos, la iglesia y la biblioteca.
  También visitamos las fábricas de cerámica.
- ¿Compraron algo?
- Yo iba a comprar unas cosas para mí pero Ruth no quiso.
- ¿Por qué?
- Porque son cosas pesadas y ya compramos demasiado. *mucho*
- ¡Qué lástima! Hay cosas muy bonitas en Puebla.
- Sí, muy bonitas. Había unos platos y unos floreros
  azules realmente divinos.
- ¿Vieron cómo los hacen?
- Sí, es fantástico. Los hacen a mano y los pintan también
  a mano. Cada pieza es exclusiva y diferente.
- Las artesanías en México son muy bonitas.

Bárbara y Ruth <u>fueron a visitar</u> una fábrica.

<u>Fuimos a ver</u> el ballet folklórico.

La señora <u>fue a comprar</u> unos platos.

Ruth <u>iba a salir</u> pero no pudo.

<u>Ibamos a pagar</u> hoy pero no tenemos dinero.

Los muchachos <u>iban a tomar</u> el sol.

IR A + INFINITIVO

(PRETÉRITO - COPRETÉRITO)

IR A + INFINITIVO

En el pretérito expresa una acción completamente terminada:

Fui a ver a María.

En el copretérito expresa la intención de realizar una acción:

Iba a ir pero no pude.

Esta acción generalmente no se realiza. La razón por la cual no se lleva a cabo puede expresarse con un verbo en presente, pretérito o futuro:

Iba a salir pero <u>tengo</u> frío.
Iba a salir pero <u>tuve</u> frío.
Iba a salir pero <u>esperaré</u> aquí.

270

I. SUSTITUYE.
   Ej: Luisa iba a ir pero no tiene tiempo.
        (nosotros)   (PRESENTE)
        Ibamos a ir pero no tenemos tiempo.

        A. El carpintero iba a venir pero no puede.
           (los carpinteros) (ella) (yo)
           (el arquitecto) (ustedes) (él)

        B. Ibamos a regresar temprano pero hay clase de geografía.
           (los niños) (mi. hermana) (yo)
           (ellas) (Jorge) (ustedes)

        C. Iban a pagar hoy pero no tienen dinero.
           (yo) (ustedes) (mi sobrina)
           (los empleados) (usted) (nosotros)

II. SUSTITUYE.
   Ej: Iban a nadar pero no pudieron.
        (Teresa)   (PRETERITO)
        Teresa iba a nadar pero no pudo.

        A. Iban a ir pero no tuvieron tiempo.
           (nosotros) (yo) (mis hermanas)
           (mi suegra) (ellos) (usted)
           mother in law
        B. Ibamos a estudiar pero perdimos el libro.
           (yo) (los muchachos) (Carmen)
           (ustedes) (tú) (mis hijos)

        C. El niño iba a nadar pero llovió.
           (los muchachos) (yo) (ustedes)
           (nosotros) (Margarita) (Juan y yo)

III. SUSTITUYE.
    Ej: Iban a ir pero van a esperar a Carlos.
         (yo)   (FUTURO)
         Iba a ir pero voy a esperar a Carlos.

        A. Yo iba a explicarlo pero lo hará el maestro.
           (Jorge) (los muchachos) (nosotros)
           (el doctor) (tú) (ustedes)

        B. Iban a llegar a las cuatro pero llegarán a las seis.
           (Teresa) (nosotros) (yo)
           (ellos) (mi hija) (los ingenieros)

        C. Luis iba a ir en camión pero irá en coche.
           (nosotros) (la señora) (ustedes)
           (yo) (Carlos y yo) (María Eugenia)

IV. CONTESTA. USA IBA A...

1. ¿Va usted a tomar el sol ahorita?
2. ¿Vas a ver al dentista mañana?
3. ¿Va a venir el arquitecto hoy?
4. ¿Van a traer ustedes la ensalada?
5. ¿A qué hora va a llegar el plomero?
6. ¿Vas a leer una novela de misterio?
7. ¿Cuándo van a regresar tus suegros? *in-laws*
8. ¿Va usted a pintar su casa? *clasificar*
9. ¿Van a pasar en limpio el artículo?
10. ¿Vas a encender la chimenea?

¿Qué hubo en el centro?   Hubo un incendio, ¿verdad?
Hubo una manifestación.   Creo que sí. Había bomberos y policía

¿Había mucha gente?   ¿Había cosas bonitas en Puebla?
Sí, había mucha.   Sí, había piezas de cerámica muy boni

HABER 29

(HUBO - HABÍA)

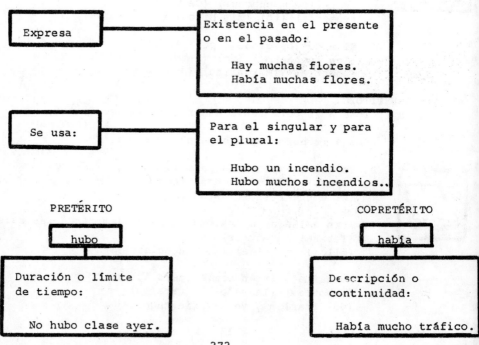

Expresa	Existencia en el presente o en el pasado: Hay muchas flores. Había muchas flores.
Se usa:	Para el singular y para el plural: Hubo un incendio. Hubo muchos incendios..

PRETÉRITO   COPRETÉRITO

hubo	había
Duración o límite de tiempo: No hubo clase ayer.	Descripción o continuidad: Había mucho tráfico.

272

V. SUSTITUYE.

Ej: Hubo una reunión en la escuela.
     (una manifestación)
     Hubo una manifestación en la escuela.

A. No hubo plátanos en el mercado.
    (leche) (duraznos) (limones)
    (aguacate) (fruta) (verdura)

B. Había mucha gente en la reunión.
    (niños) (ruido) (hombres)
    (mujeres) (empleados) (muchachos)

C. Hubo una manifestación, ¿verdad?
    (reunión) (fiesta) (conferencia)
    (incendio) (accidente) (función)

D. Había platos muy bonitos.
    (vasos) (ceniceros) (floreros)
    (piezas) (artesanías) (iglesias)

VI. CONTESTA.

1. ¿Hubo una manifestación ayer?
2. ¿Había cosas bonitas en el mercado?
3. ¿Hubo clase de historia?
4. ¿Había mucha gente en la iglesia?
5. ¿Hubo música en la fiesta?
6. ¿Había fruta en el mercado?
7. ¿Hubo un accidente?
8. ¿Había zapatos y bolsas bonitas?

Conseguí una empleada muy competente.
Él consiguió una empleada muy competente.

¿Pediste varios sándwiches?
¿Pidieron varios sándwiches?

Seguí a la ambulancia.
Ella siguió a la ambulancia.

Impedimos el incendio.
Los bomberos impidieron el incendio.

VERBOS IRREGULARES 29.3
(CAMBIO DE VOCAL)

RECUERDA:

Son irregulares en el presente
(excepto nosotros):

  Consigo los boletos.
   Conseguimos los boletos.

Y en las terceras personas del
pretérito:

       Luis consiguió los boletos.

VII. CAMBIA A LA TERCERA PERSONA SINGULAR O PLURAL.
Ej: <u>Impedí</u> el incendio.
<u>Impidió</u> el incendio.

1. Repetí los diálogos.
2. Corregimos los trabajos.
3. Conseguí el directorio.
4. Impedimos el accidente.

5. Seguí a la gente.
6. Servimos una botana rara.
7. No pedí nada.
8. Conseguimos un buen hotel.

VIII. CAMBIA AL PRETÉRITO.
Ej: El niño <u>ríe</u> felizmente.
El niño <u>rio</u> felizmente.

1. Luis sirve las copas.
2. Te sigo en la camioneta.
3. Consigo una casa colonial.
4. Corrigen las tareas.

5. Pedimos un libro raro.
6. Repiten unas oraciones.
7. El policía impide la manifest
8. Consiguen una pieza antigua.

CONVERSACIÓN

IX. LEE.

Bárbara y Ruth fueron a Puebla la semana pasada. Puebla es una ci
colonial. Es bonita y agradable. En Puebla hay muchos edificios
coloniales, iglesias antiguas, museos interesantes y una bibliote
muy famosa. Hay también fábricas de cerámica. La cerámica es hech
y pintada a mano. Hacen diferentes piezas: platos, floreros,
ceniceros. Las muchachas estuvieron muy contentas y vieron muchas
cosas. En Puebla hacía calor y había muchos turistas. Tuvieron qu
caminar seis calles para encontrar un lugar para el coche porque
había mucho tráfico en el centro. Fue una buena experiencia para
ellas.

X. CONTESTA.

1. ¿Cómo es Puebla?
2. ¿Cuándo fueron Bárbara y Ruth a Puebla?
3. ¿Es una ciudad moderna?
4. ¿Qué hay en Puebla?
5. ¿Qué hacen en Puebla?
6. ¿Compró Bárbara algunas piezas de cerámica?
7. ¿Por qué tuvieron que caminar seis calles?
8. ¿Hacía calor en Puebla?
9. ¿Hace calor ahorita?
10. ¿Había mucho tráfico?
11. ¿Para quién fue una buena experiencia?
12. ¿Vive tu familia en una ciudad colonial?

- ¿Qué hicieron hoy?
- Un montón de cosas. Primero recogimos unos boletos
  en la agencia de viajes y después fuimos al centro.
- ¿Qué vieron?
- La catedral y los edificios coloniales. Esta ciudad
  es sensacional. Hay muchas cosas interesantes y
  diferentes.
- Sí, es muy interesante ver varias culturas en un
  mismo lugar. Para nosotros a veces es incómodo vivir
  en una ciudad tan grande, contaminada y llena de
  gente. Pero, por otra parte, ofrece muchos atractivos:
  espectáculos, exposiciones, gente interesante.
- ¿Usted prefiere vivir en una ciudad grande o en la
  provincia?
- Yo prefiero la ciudad. Pienso que tiene más atractivos
  que inconvenientes.

Busqué la noticia en el periódico.
Practiqué mucho en el laboratorio.
Le expliqué el problema a Luis.
Toqué la guitarra toda la tarde.

Pagué la cuenta del restaurant.
Jugué boliche con Margarita.
Llegué el lunes pasado.

Recojo mis cosas antes de salir.
Corrijo las tareas de los alumnos.

Empecé a trabajar la semana pasada.

Consigo los boletos en la agencia.
Sigo las instrucciones cuidadosamente.

Lupe leyó el artículo en voz alta.
Nadie oyó el ruido.

VERBOS REGULARES CON CAMBIOS ORTOGRÁFICOS 30

Algunos verbos que parecen irregulares, no lo son. Sólo presentan un cambio ortográfico para conservar el mismo sonido del infinitivo.

c → qu	z → c
g → gu	gu → g
g → j	

PRETÉRITO

BUSCAR		PRACTICAR		TOCAR	
busqué	buscamos	practiqué	practicamos	toqué	tocamos
buscaste	buscaron	practicaste	practicaron	tocaste	tocaron
buscó		practicó		tocó	
EXPLICAR		**PAGAR**		**JUGAR** *	
expliqué	explicamos	pagué	pagamos	jugué	jugamos
explicaste	explicaron	pagaste	pagaron	jugaste	jugaron
explicó		pagó		jugó	
		LLEGAR		**EMPEZAR** *	
		llegué	llegamos	empecé	empezamos
		llegaste	llegaron	empezaste	empezaron
		llegó		empezó	

* Verbo irregular
en el presente
(diptongación)

276

RECOGER		CORREGIR *		CONSEGUIR *	
recojo	recogemos	corrijo	corregimos	consigo	conseguimos
recoges	recogen	corriges	corrigen	consigues	consiguen
recoge		corrige		consigue	

SEGUIR *	
sigo	seguimos
sigues	siguen
sigue	

OÍR **				CREER		LEER	
oigo	oímos	oí	oímos	creí	creímos	leí	leímos
oyes	oyen	oíste	oyeron	creíste	creyeron	leíste	leyeron
oye		oyó		creyó		leyó	

I. SUSTITUYE.

Ej: Teresa practicó piano toda la mañana.
   (yo)
   Practiqué piano toda la mañana.

A. Los niños llegaron la semana pasada.
   (el carpintero y yo) (yo) (el electricista)
   (mis suegros) (el contador) (nosotros)

B. Buscamos el libro toda la tarde.
   (el escritor) (el actor y la actriz) (yo)
   (mi sobrina y yo) (usted) (nosotros)

C. Ellos empezaron a trabajar en mayo.
   (yo) (el dentista y yo) (las enfermeras)
   (usted) (los bomberos) (nosotros)

D. Martha leyó las oraciones en voz alta.
   (los actores) (la actriz) (nosotros)
   (tú) (ustedes) (la enfermera)

E. Carlos lo explicó varias veces.
   (los maestros) (la maestra) (yo)
   (el plomero) (ella y yo) (ustedes)

* Verbo irregular
(cambio de vocal)

** Verbo irregular en el
presente.

277

Ej: Ella recoge a los niños en la escuela.
       (yo)
       Recojo a los niños en la escuela.

A. Elena oye música todo el día.
   (nosotros) (yo) (mis suegros)
   (tú) (el dentista) (ustedes)

B. Bárbara no consigue las tarjetas postales.
   (yo) (los turistas) (Jorge y yo)
   (ustedes) (Martha) (los niños)

C. Los niños nunca recogen los papeles del piso.
   (nosotros) (mis hijas) (yo)
   (ustedes) (la muchacha) (los niños)

D. Ellos siguen las instrucciones cuidadosamente.
   (el actor) (los escritores) (nosotros)
   (tú) (los bomberos) (Teresa y yo)

III. CAMBIA AL PRETÉRITO.

Ej: <u>Busco</u> unos zapatos bonitos.
       <u>Busqué</u> unos zapatos bonitos.

1. Llego tarde a la exposición.
2. Recojo los boletos en la agencia.
3. Les explico el artículo a mis suegros.
3. Pago las cuentas dos veces por semana.
5. Busco la catedral.
6. Juego con el niño toda la tarde.
7. Le corrijo el trabajo a mi hija.
8. No consigo la dirección de Luis.
9. Practico español con la gente.
10. Empiezo el trabajo varias veces.
11. Los sigo en mi coche.
12. Toco la guitarra todo el día.

Luis <u>prefiere</u> tomar cerveza.
Luis <u>prefirió</u> tomar cerveza.

El bebé <u>duerme</u> varias horas.
El bebé <u>durmió</u> varias horas.

La niña <u>miente</u> a veces.
La niña <u>mintió</u> ayer.

Carlos <u>sugiere</u> ir a la exposición.
Carlos <u>sugirió</u> ir a la exposición.

VERBOS IRREGULARES

30.2

Hay algunos verbos irregulares por diptongación en
el presente:

m**ie**nte

y por cambio de vocal en
el pretérito:

m**i**ntió

PREFERIR			
PRESENTE		**PRETÉRITO**	
prefiero	preferimos	preferí	preferimos
prefieres	prefieren	preferiste	prefirieron
prefiere		prefirió	
DORMIR			
duermo	dormimos	dormí	dormimos
duermes	duermen	dormiste	durmieron
duerme		durmió	
MENTIR			
miento	mentimos	mentí	mentimos
mientes	mienten	mentiste	mintieron
miente		mintió	
SUGERIR			
sugiero	sugerimos	sugerí	sugerimos
sugieres	sugieren	sugeriste	sugirieron
sugiere		sugirió	

IV. CAMBIA AL PRESENTE.
     Ej: Ellos <u>prefirieron</u> comer aquí ayer.
          Ellos <u>prefieren</u> comer aquí hoy.

1. Los niños mintieron.
2. Javier sugirió visitar las fábricas.
3. Ellos durmieron mal anoche.
4. Mis hijos prefirieron ir al parque.
5. ¿Quién sugirió ese lugar?
6. Elena no mintió en la escuela.
7. ¿Durmió bien tu bebé?
8. El doctor prefirió ir a la provincia.

V.   CAMBIA AL PRETÉRITO.
     Ej: María Eugenia <u>miente</u> frecuentemente.
          María Eugenia <u>mintió</u> ayer.

1. El escritor prefiere vivir en su país.
2. Carlos sugiere ir a la manifestación.
3. Elsa duerme siete horas todos los días.
4. Los niños mienten a veces.
5. Ellos prefieren ver el incendio.
6. ¿Le miente Luis al policía?
7. Sugieren buscarlos en el directorio.
8. Las enfermeras no duermen mucho.

Teresa pensó: "Vienen hoy".
Teresa pensó que venían hoy.

La maestra dijo: "Es necesario ir".
La maestra dijo que era necesario ir.

El encargado avisó: "El agua está sucia".
El encargado avisó que el agua estaba sucia.

Elsa preguntó: "¿Cuándo regresan?"
Elsa preguntó que cuándo regresaban.

El carpintero opinó: "La madera no sirve"
El carpintero opinó que la madera no servía.

COPRETÉRITO 30.3

(DISCURSO INDIRECTO)

El copretérito se usa en
discurso indirecto cuando rige
un verbo en pretérito y lo que
se afirma está en <u>presente</u>.

Opiné que no estaba limpio.

VI.   CAMBIA COMO EN EL EJEMPLO.
A.   Ej: Es muy tarde.
(DECIR)   Dijo que era muy tarde.

1. Tienen mucho sueño.
2. Hace mucho calor en Acapulco.
3. Hay poca gente en la manifestación.
4. Piensa regresar hoy en la tarde.
5. Quieren visitar las fábricas.
6. La calle está muy sucia.
7. Jorge es una persona rara.
8. Hay una ambulancia aquí.
9. El espectáculo está sensacional.
10. Vienen muchos turistas.

B.   Ej: El radio está descompuesto.
(CREER)   Luis creyó que el radio estaba descompuesto.

1. La iglesia es muy antigua.
2. Tienen que buscar un hotel.
3. Los niños quieren ir al parque.
4. Jorge es muy impuntual.
5. No es necesario ir al laboratorio.
6. La zapatería está cerrada.
7. Esos muchachos son muy tontos.
8. Todos los piropos son vulgares.
9. La exposición está muy interesante.
10. La cerveza no es muy cara.

C.   Ej: El plomero es puntual.
(PENSAR)   Pensé que el plomero era puntual.

1. La fruta es bastante barata.
2. Los camiones van muy llenos.
3. No es necesario pasarlo en limpio.
4. La ambulancia viene aquí.
5. El carpintero no quiere esa madera.
6. Ese muchacho es muy pesado. — heavy, disagreable
7. Hay un incendio en el centro.
8. Podemos nadar y tomar el sol hoy.
9. Es inconveniente viajar con muchas cosas.
10. Los estudiantes pueden viajar con poco dinero.

VII. CAMBIA COMO EN EL EJEMPLO.
      Ej: Creo que hay leche.
            Creí que había leche.

1. Dice que va a venir en la tarde.
2. Pensamos que hay una manifestación.
3. Creo que es muy tarde para salir.
4. El doctor avisa que no trabaja los jueves.
5. María dice que quiere una novela de misterio.
6. Opinan que hay que pintar las paredes.
7. Nos avisan que no pueden vender cerveza hoy.
8. Creemos que el museo está cerrado.
9. Rosa opina que hace mucho calor allí.
10. Pienso que los niños juegan muy bien.

VIII. LEE.

- ¿Cómo son las ciudades grandes?
- Son sucias, están contaminadas y llenas de gente.
- ¿Cree usted que la provincia es más agradable?
- No, para mí la ciudad es más atractiva. Hay muchos espectáculos y gente interesante. Hay más cultura: museos, exposiciones y espectáculos.
- ¿Qué opina usted sobre la contaminación?
- Creo que toda la gente puede ayuda un poco a limpiar la ciudad.

- ¿Cómo es la provincia?
- Es agradable y limpia.
- Piensa usted que es cómodo vivir en un pueblo.
- Sí, creo que es agradable. No hay problemas de tráfico. Tampoco hay contaminación.
- ¿Es más barata la vida en los pueblos que en la ciudad? *cheap*
- Sí, es bastante más barata. Además, podemos comprar cosas frescas. Yo prefiero la provincia.

IX. CONTESTA.

1. ¿Cómo son las ciudades grandes?
2. ¿Qué opinó el señor de la vida en la ciudad?
3. ¿Qué dijo la señora de la provincia?
4. ¿Qué opinas tú de la ciudad?
5. ¿Y de la provincia?
6. ¿Qué dijo el señor de la contaminación?
7. ¿Qué piensas tú?
8. ¿Qué le preguntó el hombre a la señora?
9. ¿Qué opinó la señora de la vida en los pueblos?
10. ¿Es más barata la vida en la provincia?
11. ¿Qué dijo la señora de la comida?
12. ¿Hay mucho tráfico en esta ciudad?
13. ¿Hay mucha contaminación?
14. ¿Hay contaminación en muchas ciudades?

UNIDAD 6

I. CAMBIA AL PASADO. USA <u>PRETÉRITO O COPRETÉRITO</u>.

A. Margarita y Elena van a Cuernavaca. Quieren nadar y
tomar el sol pero no es posible porque hace frío todo
el tiempo. Elena cree que va a llover en la tarde por
eso regresan a México temprano.

B. El señor quiere conocer la ciudad. Toma un coche y le
dice al chofer que quiere ir al centro primero, y al
Museo de Antropología después. El chofer opina que es
difícil ir al centro porque hay una manifestación.
Sugiere que pueden visitar otros lugares.

C. La exposición está llena de gente y además hace mucho
frío. Es imposible admirar los cuadros. Tenemos que
regresar a la casa. Preferimos ver la televisión hoy
y visitar la exposición otro día.

D. Quiero visitar a Martha porque está enferma. Voy a
comprarle unas flores cuando descubro que no tengo
suficiente dinero. Regreso a mi casa por el dinero y
empieza a llover. Pienso ir otro día.

II. CAMBIA AL PRETÉRITO.

1. La niña no dice la verdad.
2. No traigo mis lápices.
3. Están en la exposición.
4. Hay un buen espectáculo.
5. No tenemos tiempo para estudiar.
6. Descubro la verdad.
7. Voy a visitar la iglesia.
8. Luisa viene en la tarde.
9. No puedo asistir a la reunión.
10. ¿Quién hace el pastel?
11. ¿Eres un buen estudiante?
12. Sugiere visitar el museo.

III. CAMBIA AL PRESENTE.

1. El teléfono sonó varias veces.
2. No encontré las cervezas.
3. La señora volvió temprano.
4. ¿Quién encendió las luces?
5. Perdí mi bolsa.
6. Volvieron a la ciudad muy tarde.
7. ¿Resolviste tu problema?
8. Devolví la cinta al laboratorio.
9. Llovió mucho en la ciudad.
10. ¿Cerraron la iglesia a las nueve?

IV.   COMPLETA. USA PRETÉRITO O COPRETÉRITO.

1. Ayer te _dije_ que yo no _podia_ venir.
   decir   poder

2. Elena ~~fue~~ *iba* a venir pero _perdió_ su boleto.
   ir   perder

3. Cuando _era_ niño, casi nunca ~~fui~~ *iba* al cine.
   ser (yo)   ir

4. Carlos _pensó_ que no _habia_ luz.
   pensar   haber

habia

5. Cuando _regresaban_ los muchachos, _vieron_ el accidente.
   regresar   ver

6. _hubo_ un incendio en el centro.
   haber

7. _hizo_ mucho calor en la calle ayer.
   hacer

8. Nosotros _opinamos_ que el coche _estaba_ descompuesto.
   opinar   estar

9. Luis _creyó_ que _iba_ a llover hoy.
   creer   ir

10. Ruth ~~fue~~ *iba* a comprarlo pero Elena no _lo quiso_.
    ir   querer

V.   DI ALGO SOBRE LA ILUSTRACIÓN. USA <u>MIENTRAS, CUANDO, Y.</u>

APÉNDICE

Solamente se registran en el
Apéndice los tiempos y formas
verbales presentados en el texto.

VERBOS IRREGULARES

CERRAR *close*				
PRESENTE	PRETÉRITO	COPRETÉRITO	FUTURO	GERUNDIO
cierro	cerré	cerraba	cerraré	cerrando
cierras	cerraste	cerrabas	cerrarás	
cierra	cerró	cerraba	cerrará	*cerrado*
cerramos	cerramos	cerrábamos	cerraremos	
cierran	cerraron	cerraban	cerrarán	

CONOCER *know*				
PRESENTE	PRETÉRITO	COPRETÉRITO	FUTURO	GERUNDIO
conozco	conocí	conocía	conoceré	conociendo
conoces	conociste	conocías	conocerás	
conoce	conoció	conocía	conocerá	*conocido*
conocemos	conocimos	conocíamos	conoceremos	
conocen	conocieron	conocían	conocerán	

CONSEGUIR *obtain, get, succeed*				
PRESENTE	PRETÉRITO	COPRETÉRITO	FUTURO	GERUNDIO
consigo	conseguí	conseguía	conseguiré	consiguiendo
consigues	conseguiste	conseguías	conseguirás	
consigue	consiguió	conseguía	conseguirá	*conseguido*
conseguimos	conseguimos	conseguíamos	conseguiremos	
consiguen	consiguieron	conseguían	conseguirán	

CONTAR	con count on, relate, tell			
PRESENTE	PRETÉRITO	COPRETÉRITO	FUTURO	GERUNDIO
cuento	conté	contaba	contaré	contando
cuentas	contaste	contabas	contarás	contado
cuenta	contó	contaba	contará	
contamos	contamos	contábamos	contaremos	
cuentan	contaron	contaban	contarán	

CORREGIR	correct			
PRESENTE	PRETÉRITO	COPRETÉRITO	FUTURO	GERUNDIO
corrijo	corregí	corregía	corregiré	corrigiendo
corriges	corregiste	corregías	corregirás	
corrige	corrigió	corregía	corregirá	
corregimos	corregimos	corregíamos	corregiremos	
corrigen	corrigieron	corregían	corregirán	

COSTAR	cost			
PRESENTE	PRETÉRITO	COPRETÉRITO	FUTURO	GERUNDIO
cuesto	costé	costaba	costaré	costando
cuestas	costaste	costabas	costarás	costado
cuesta	costó	costaba	costará	
costamos	costamos	costábamos	costaremos	
cuestan	costaron	costaban	costarán	

DAR	give			
PRESENTE	PRETÉRITO	COPRETÉRITO	FUTURO	GERUNDIO
doy	di	daba	daré	dando
das	diste	dabas	darás	dado
da	dio	daba	dará	
damos	dimos	dábamos	daremos	
dan	dieron	daban	darán	

DECIR	say			
PRESENTE	PRETÉRITO	COPRETÉRITO	FUTURO	GERUNDIO
digo	dije	decía	diré	diciendo
dices	dijiste	decías	dirás	dicho
dice	dijo	decía	dirá	
decimos	dijimos	decíamos	diremos	
dicen	dijeron	decían	dirán	

DEVOLVER *pay back, restore, give back*

PRESENTE	PRETÉRITO	COPRETÉRITO	FUTURO	GERUNDIO
devuelvo	devolví	devolvía	devolveré	devolviendo
devuelves	devolviste	devolvías	devolverás	*devuelto*
devuelve	devolvió	devolvía	devolverá	
devolvemos	devolvimos	devolvíamos	devolveremos	
devuelven	devolvieron	devolvían	devolverán	

DORMIR *sleep*

PRESENTE	PRETÉRITO	COPRETÉRITO	FUTURO	GERUNDIO
duermo	dormí	dormía	dormiré	durmiendo
duermes	dormiste	dormías	dormirás	*dormido*
duerme	durmió	dormía	dormirá	
dormimos	dormimos	dormíamos	dormiremos	
duermen	durmieron	dormían	dormirán	

EMPEZAR *Begin*

PRESENTE	PRETÉRITO	COPRETÉRITO	FUTURO	GERUNDIO
empiezo	empecé	empezaba	empezaré	empezando
empiezas	empezaste	empezabas	empezarás	*empezado*
empieza	empezó	empezaba	empezará	
empezamos	empezamos	empezábamos	empezaremos	
empiezan	empezaron	empezaban	empezarán	

ENCENDER

PRESENTE	PRETÉRITO	COPRETÉRITO	FUTURO	GERUNDIO
enciendo	encendí	encendía	encenderé	encendiendo
enciendes	encendiste	encendías	encenderás	*encendido*
enciende	encendió	encendía	encenderá	
encendemos	encendimos	encendíamos	encenderemos	
encienden	encendieron	encendían	encenderán	

ENCONTRAR *meet*

PRESENTE	PRETÉRITO	COPRETÉRITO	FUTURO	GERUNDIO
encuentro	encontré	encontraba	encontraré	encontrando
encuentras	encontraste	encontrabas	encontrarás	*dicho*
encuentra	encontró	encontraba	encontrará	
encontramos	encontramos	encontrábamos	encontraremos	
encuentran	encontraron	encontraban	encontrarán	

ENTENDER *understand*

PRESENTE	PRETÉRITO	COPRETÉRITO	FUTURO	GERUNDIO
entiendo	entendí	entendía	entenderé	entendiendo
entiendes	entendiste	entendías	entenderás	*entendía*
entiende	entendió	entendía	entenderá	
entendemos	entendimos	entendíamos	entenderemos	
entienden	entendieron	entendían	entenderán	

ESTAR *be*

PRESENTE	PRETÉRITO	COPRETÉRITO	FUTURO	GERUNDIO
estoy	estuve	estaba	estaré	estando
estás	estuviste	estabas	estarás	*estado*
está	estuvo	estaba	estará	
estamos	estuvimos	estábamos	estaremos	
están	estuvieron	estaban	estarán	

HABER (sólo en tercera persona del singular)

PRESENTE	PRETÉRITO	COPRETÉRITO	FUTURO	GERUNDIO
hay	hubo	había	habrá	habiendo
				habido

HACER *do make*

PRESENTE	PRETÉRITO	COPRETÉRITO	FUTURO	GERUNDIO
hago	hice	hacía	haré	haciendo
haces	hiciste	hacías	harás	*hecho*
hace	hizo	hacía	hará	
hacemos	hicimos	hacíamos	haremos	
hacen	hicieron	hacían	harán	

IMPEDIR *impede*

PRESENTE	PRETÉRITO	COPRETÉRITO	FUTURO	GERUNDIO
impido	impedí	impedía	impediré	impidiendo
impides	impediste	impedías	impedirás	*impedido*
impide	impidió	impedía	impedirá	
impedimos	impedimos	impedíamos	impediremos	
impiden	impidieron	impedían	impedirán	

hace

IR *go*

PRESENTE	PRETÉRITO	COPRETÉRITO	FUTURO	GERUNDIO
voy	fui	iba	iré	yendo
vas	fuiste	ibas	irás	
va	fue	iba	irá	*ido*
vamos	fuimos	íbamos	iremos	
van	fueron	iban	irán	

JUGAR *play*

PRESENTE	PRETÉRITO	COPRETÉRITO	FUTURO	GERUNDIO
juego	jugué	jugaba	jugaré	jugando
juegas	jugaste	jugabas	jugarás	
juega	jugó	jugaba	jugará	*jugado*
jugamos	jugamos	jugábamos	jugaremos	
juegan	jugaron	jugaban	jugarán	

LLOVER (sólo en tercera persona del singular) *rain*

PRESENTE	PRETÉRITO	COPRETÉRITO	FUTURO	GERUNDIO
llueve	llovió	llovía	lloverá	lloviendo

MENTIR *lie*

PRESENTE	PRETÉRITO	COPRETÉRITO	FUTURO	GERUNDIO
miento	mentí	mentía	mentiré	mintiendo
mientes	mentiste	mentías	mentirás	
miente	mintió	mentía	mentirá	*mentido*
mentimos	mentimos	mentíamos	mentiremos	
mienten	mintieron	mentían	mentirán	

NEVAR (sólo en tercera persona del singular)

PRESENTE	PRETÉRITO	COPRETÉRITO	FUTURO	GERUNDIO
nieva	nevó	nevaba	nevará	nevando

OÍR *hear*

PRESENTE	PRETÉRITO	COPRETÉRITO	FUTURO	GERUNDIO
oigo	oí	oía	oiré	oyendo
oyes	oiste	oías	oirás	
oye	oyó	oía	oirá	*oido*
oímos	oímos	oíamos	oiremos	
oyen	oyeron	oían	oirán	

PARECER *look, appear, seem.*

PRESENTE	PRETÉRITO	COPRETÉRITO	FUTURO	GERUNDIO
parezco	parecí	parecía	pareceré	pareciendo
pareces	pareciste	parecías	parecerás	*parecido*
parece	pareció	parecía	parecerá	
parecemos	parecimos	parecíamos	pareceremos	
parecen	parecieron	parecían	parecerán	

PEDIR *ask*

PRESENTE	PRETÉRITO	COPRETÉRITO	FUTURO	GERUNDIO
pido	pedí	pedía	pediré	pidiendo
pides	pediste	pedías	pedirás	*pedido*
pide	pidió	pedía	pedirá	
pedimos	pedimos	pedíamos	pediremos	
piden	pidieron	pedían	pedirán	

PENSAR *think*

PRESENTE	PRETÉRITO	COPRETÉRITO	FUTURO	GERUNDIO
pienso	pensé	pensaba	pensaré	pensando
piensas	pensaste	pensabas	pensarás	*pensado*
piensa	pensó	pensaba	pensará	
pensamos	pensamos	pensábamos	pensaremos	
piensan	pensaron	pensaban	pensarán	

PERDER *lose*

PRESENTE	PRETERITO	COPRETÉRITO	FUTURO	GERUNDIO
pierdo	perdí	perdía	perderé	perdiendo
pierdes	perdiste	perdías	perderás	*perdido*
pierde	perdió	perdía	perderá	
perdemos	perdimos	perdíamos	perderemos	
pierden	perdieron	perdían	perderán	

PODER *be able can*

PRESENTE	PRETÉRITO	COPRETÉRITO	FUTURO	GERUNDIO
puedo	pude	podía	podré	pudiendo
puedes	pudiste	podías	podrás	*podido*
puede	pudo	podía	podrá	
podemos	pudimos	podíamos	podremos	
pueden	pudieron	podían	podrán	

PONER *put*

PRESENTE	PRETÉRITO	COPRETÉRITO	FUTURO	GERUNDIO
pongo	puse	ponía	pondré	poniendo
pones	pusiste	ponías	pondrás	*puesto*
pone	puso	ponía	pondrá	
ponemos	pusimos	poníamos	pondremos	
ponen	pusieron	ponían	pondrán	

PREFERIR *prefer*

PRESENTE	PRETÉRITO	COPRETÉRITO	FUTURO	GERUNDIO
prefiero	preferí	prefería	preferiré	prefiriendo
prefieres	preferiste	preferías	preferirás	*preferido*
prefiere	prefirió	prefería	preferirá	
preferimos	preferimos	preferíamos	preferiremos	
prefieren	prefirieron	preferían	preferirán	

QUERER *want wish*

PRESENTE	PRETÉRITO	COPRETÉRITO	FUTURO	GERUNDIO
quiero	quise	quería	querré	queriendo
quieres	quisiste	querías	querrás	*querido*
quiere	quiso	quería	querrá	
queremos	quisimos	queríamos	querremos	
quieren	quisieron	querían	querrán	

RECORDAR *remember*

PRESENTE	PRETÉRITO	COPRETÉRITO	FUTURO	GERUNDIO
recuerdo	recordé	recordaba	recordaré	recordando
recuerdas	recordaste	recordabas	recordarás	*recordado*
recuerda	recordó	recordaba	recordará	
recordamos	recordamos	recordábamos	recordaremos	
recuerdan	recordaron	recordaban	recordarán	

REÍR *laugh*

PRESENTE	PRETÉRITO	COPRETÉRITO	FUTURO	GERUNDIO
río	reí	reía	reiré	riendo
ríes	reiste	reías	reirás	*reído*
ríe	rio	reía	reirá	
reímos	reímos	reíamos	reiremos	
ríen	rieron	reían	reirán	

REPETIR *repeat*

PRESENTE	PRETÉRITO	COPRETÉRITO	FUTURO	GERUNDIO
repito	repetí	repetía	repetiré	repitiendo
repites	repetiste	repetías	repetirás	
repite	repitió	repetía	repetirá	*repetido*
repetimos	repetimos	repetíamos	repetiremos	
repiten	repitieron	repetían	repetirán	

RESOLVER *resolve*

PRESENTE	PRETÉRITO	COPRETÉRITO	FUTURO	GERUNDIO
resuelvo	resolví	resolvía	resolveré	resolviendo
resuelves	resolviste	resolvías	resolverás	
resuelve	resolvió	resolvía	resolverá	*resuelto*
resolvemos	resolvimos	resolvíamos	resolveremos	
resuelven	resolvieron	resolvían	resolverán	

SABER *know*

PRESENTE	PRETÉRITO	COPRETÉRITO	FUTURO	GERUNDIO
sé	supe	sabía	sabré	sabiendo
sabes	supiste	sabías	sabrás	
sabe	supo	sabía	sabrá	*sabido*
sabemos	supimos	sabíamos	sabremos	
saben	supieron	sabían	sabrán	

SALIR *leave*

PRESENTE	PRETÉRITO	COPRETÉRITO	FUTURO	GERUNDIO
salgo	salí	salía	saldré	saliendo
sales	saliste	salías	saldrás	
sale	salió	salía	saldrá	*salido*
salimos	salimos	salíamos	saldremos	
salen	salieron	salían	saldrán	

SEGUIR *follow*

PRESENTE	PRETÉRITO	COPRETÉRITO	FUTURO	GERUNDIO
sigo	seguí	seguía	seguiré	siguiendo
sigues	seguiste	seguías	seguirás	
sigue	siguió	seguía	seguirá	*seguido*
seguimos	seguimos	seguíamos	seguiremos	
siguen	siguieron	seguían	seguirán	

SER *be*

PRESENTE	PRETÉRITO	COPRETÉRITO	FUTURO	GERUNDIO
soy	fui	era	seré	siendo
eres	fuiste	eras	serás	*sido*
es	fue	era	será	
somos	fuimos	éramos	seremos	
son	fueron	eran	serán	

SERVIR *serve*

PRESENTE	PRETÉRITO	COPRETÉRITO	FUTURO	GERUNDIO
sirvo	serví	servía	serviré	sirviendo
sirves	serviste	servías	servirás	*servido*
sirve	sirvió	servía	servirá	
servimos	servimos	servíamos	serviremos	
sirven	sirvieron	servían	servirán	

SONAR *sound, ring, strike*

PRESENTE	PRETÉRITO	COPRETÉRITO	FUTURO	GERUNDIO
sueno	soné	sonaba	sonaré	sonando
suenas	sonaste	sonabas	sonarás	*sonado*
suena	sonó	sonaba	sonará	
sonamos	sonamos	sonábamos	sonaremos	
suenan	sonaron	sonaban	sonarán	

SUGERIR

PRESENTE	PRETÉRITO	COPRETÉRITO	FUTURO	GERUNDIO
sugiero	sugerí	sugería	sugeriré	sugiriendo
sugieres	sugeriste	sugerías	sugerirás	*sugerido*
sugiere	sugirió	sugería	sugerirá	
sugerimos	sugerimos	sugeríamos	sugeriremos	
sugieren	sugirieron	sugerían	sugerirán	

TENER *hold have*

PRESENTE	PRETÉRITO	COPRETÉRITO	FUTURO	GERUNDIO
tengo	tuve	tenía	tendré	teniendo
tienes	tuviste	tenías	tendrás	*tenido*
tiene	tuvo	tenía	tendrá	
tenemos	tuvimos	teníamos	tendremos	
tienen	tuvieron	tenían	tendrán	

TRAER *bring, carry*

PRESENTE	PRETÉRITO	COPRETÉRITO	FUTURO	GERUNDIO
traigo	traje	traía	traeré	trayendo
traes	trajiste	traías	traerás	
trae	trajo	traía	traerá	*traído*
traemos	trajimos	traíamos	traeremos	
traen	trajeron	traían	traerán	

VALER

PRESENTE	PRETÉRITO	COPRETÉRITO	FUTURO	GERUNDIO
valgo	valí	valía	valdré	valiendo
vales	valiste	valías	valdrás	
vale	valió	valía	valdrá	*valido*
valemos	valimos	valíamos	valdremos	
valen	valieron	valían	valdrán	

VENIR *come*

PRESENTE	PRETÉRITO	COPRETÉRITO	FUTURO	GERUNDIO
vengo	vine	venía	vendré	viniendo
vienes	viniste	venías	vendrás	
viene	vino	venía	vendrá	~~visto~~
venimos	vinimos	veníamos	vendremos	
vienen	vinieron	venían	vendrán	*venido*

VER *see*

PRESENTE	PRETÉRITO	COPRETÉRITO	FUTURO	GERUNDIO
veo	vi	veía	veré	viendo
ves	viste	veías	verás	
ve	vio	veía	verá	*visto*
vemos	vimos	veíamos	veremos	
ven	vieron	veían	verán	

VOLAR *fly*

PRESENTE	PRETÉRITO	COPRETÉRITO	FUTURO	GERUNDIO
vuelo	volé	volaba	volaré	volando
vuelas	volaste	volabas	volarás	
vuela	voló	volaba	volará	*volado*
volamos	volamos	volábamos	volaremos	
vuelan	volaron	volaban	volarán	

VOLVER	*return*			
PRESENTE	PRETÉRITO	COPRETÉRITO	FUTURO	GERUNDIO
vuelvo	volví	volvía	volveré	volviendo
vuelves	volviste	volvías	volverás	*vuelto*
vuelve	volvió	volvía	volverá	
volvemos	volvimos	volvíamos	volveremos	
vuelven	volvieron	volvían	volverán	

MECANOGRAFÍA :

AURORA GÓMEZ REYES.

ÍNDICE

296

Impreso en Prinomex • 213915 000 02 95 508